进阶式对外汉语系列教材
A SERIES OF PROGRESSIVE CHINESE TEXTBOOKS FOR FOREIGNERS

成功之路

ROAD TO SUCCESS

起步篇
LOWER ELEMENTARY

主　编　邱　军
副主编　彭志平
执行主编　张　辉
编　著　杨　楠

ROAD TO SUCCESS
A SERIES OF PROGRESSIVE CHINESE
TEXTBOOKS FOR FOREIGNERS

北京语言大学出版社
BEIJING LANGUAGE AND CULTURE
UNIVERSITY PRESS

图书在版编目（CIP）数据

成功之路.起步篇.第1册/杨楠等编著.
－北京：北京语言大学出版社，2008.8（2016.6重印）
ISBN 978-7-5619-2162-3

Ⅰ.成…　Ⅱ.杨…　Ⅲ.汉语−对外汉语教学−教材
Ⅳ.H195.4

中国版本图书馆CIP数据核字（2008）第119762号

书　　　名：	成功之路 · 起步篇（第一册）
责任印制：	汪学发

出版发行：北京语言大学出版社

社　　　址：	北京市海淀区学院路15号　　邮政编码：100083
网　　　址：	www.blcup.com
电　　　话：	发行部 82303650/3591/3651
	编辑部 82303647/3592
	读者服务部 82303653
	网上订购电话 82303908
	客户服务信箱 service@blcup.com
印　　　刷：	北京联兴盛业印刷股份有限公司
经　　　销：	全国新华书店

版　　　次：	2008年8月第1版　2016年6月第13次印刷
开　　　本：	889毫米×1194毫米　1/16
印　　　张：	课本9.5/练习活页2.75/听力文本0.5
字　　　数：	212千字
书　　　号：	ISBN 978-7-5619-2162-3/H.08151
定　　　价：	48.00元

凡有印装质量问题，本社负责调换。电话：82303590

前 言

　　《成功之路》是一套为母语非汉语的学习者编写的对外汉语教材。这套教材既适用于正规汉语教学机构的课堂教学，也可以满足各类教学形式和自学者的需求。

　　《成功之路》为教学提供全面丰富的教学内容，搭建严谨规范的教学平台。学习者可获得系统的汉语言知识、技能、文化的学习和训练。同时，《成功之路》的组合式设计，也为各类教学机构和自学者提供充分的选择空间，最大程度地满足教学与学习的多样化需求。

◆ 架构

　　《成功之路》全套 22 册。按进阶式水平序列分别设计为《入门篇》、《起步篇》、《顺利篇》、《进步篇》、《提高篇》、《跨越篇》、《冲刺篇》、《成功篇》。其中《入门篇》为 1 册；《进步篇》综合课本为 3 册，《进步篇·听和说》、《进步篇·读和写》各 2 册；《提高篇》、《跨越篇》综合课本各 2 册，《提高篇·听和说》、《跨越篇·听和说》各 1 册；其余各篇均为 2 册。篇名不但是教学层级的标志，而且蕴涵着目标与期望。各篇设计有对应层级和对应水平（已学习词汇量），方便学习者选择适合自己的台阶起步。

进阶式对外汉语系列教材《成功之路》阶式图

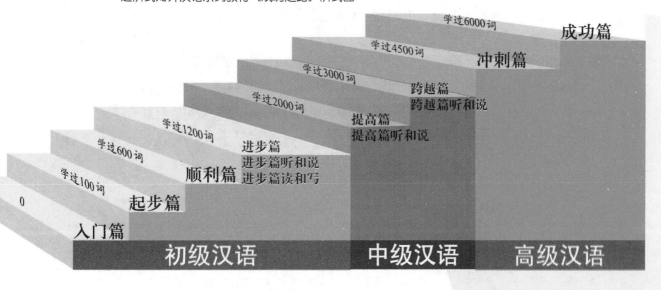

学习者选择教材参照表：

学习起点参照等级			适用教材
已学习词汇量	新汉语水平考试等级（新HSK）	新欧盟语言框架等级（CEF）	
0			《入门篇》
100 词左右	新 HSK 一级		《起步篇》
600 词左右	新 HSK 二级、三级		《顺利篇》
1200 词左右	新 HSK 四级	A1	《进步篇》
2000 词左右	新 HSK 四级、五级	A2	《提高篇》
3000 词左右	新 HSK 五级、六级	B1	《跨越篇》
4500 词左右	新 HSK 六级	B2	《冲刺篇》
6000 词左右		C1	《成功篇》

◆ 依据

　　《成功之路》以"国家汉办"的《高等学校外国留学生汉语教学大纲（长期进修）》（简称《大纲》）为基本研制依据，采用自行研制的编教软件，对《大纲》的语言点（项）、词汇、汉字等指标进行穷尽式覆盖，以保证教材的科学性、系统性、严谨性。编写者还根据各层级学习和教学的需求，对《大纲》的部分指标进行必要的调整，其中高级汉语部分增删幅度较大。另外，对各类汉语学习者随机调研的结果以及相关精品教材的研究成果也是《成功之路》的重要研制依据。

◆ 理念

　　《成功之路》以"融合、集成、创新"为基本研制理念。作为一套综合性教材，其内涵的多样性决定理念的集成性，不囿于某一种教学法。因此，编写者根据所编教材的特性，分析融合相关的研究成果，集多家之成，纳各"法"之长。

　　创新是《成功之路》的重要研制理念，全套教材的每篇每册都有创新之处。创新点根据需要或隐含或显现，从中可见编写者的匠心。"易学、好教"是《成功之路》的研制目标，为实现此目标，尊重学习者的反馈和从教者的经验自然也是编写者的重要研制理念。

◆ 特点

　　《成功之路》作为一套诞生于新世纪的对外汉语教材，在"传承与创新""关联与独立""知识与技能""语言与文化""二维与多维"诸方面融入了编写者更多的思考和实践。限于篇幅，略加说明。

1. 传承与创新

《成功之路》从对外汉语教学的沃土中汲取丰富的营养，植根于它的发展，受益于它的进步。编写者将成功的教学经验、教学模式和研究成果带入教材，使《成功之路》更符合学习者的语言认知规律，更有助于学习者掌握和应用。如：《入门篇》、《起步篇》、《顺利篇》都以"讲练"的形式呈现，便是采纳对外汉语教学早期的"讲练模式"。这种更适宜初学者的编写设计，已经为多年的教学成效所证明。

《成功之路》在传承的基础上力求创新，篇篇都有创新点。如：《起步篇》和《顺利篇》改变以往语言点的描述角度，变立足于教师的规则性语言为面向学习者的使用性语言，便于学习者理解和运用。《提高篇》和《跨越篇》设计了语素练习项目，强化语素的辐射生成作用，增强学习者的词汇联想能力，减少记忆负担，提高学习效率；还在多项练习中设置语境，为学习者提供丰富的语用场，提高其准确地遣词用句的能力，为日后学以致用增加助力。《冲刺篇》和《成功篇》针对高级阶段词语辨析的难点，设置"异同归纳"的板块，将规则说明和练习紧密结合，实现从理解到使用的有效过渡。

另外，《入门篇》的总分式语音训练，《进步篇·听和说》、《进步篇·读和写》的融合性技能训练，《提高篇》、《跨越篇》的听说式"课文导入"，《冲刺篇》、《成功篇》的分合式"背景阅读"等等，都彰显着编写者的创新性理念和实践性思维。

2. 关联与独立

《成功之路》进阶式系列教材，全套共分8篇，涵盖初级汉语、中级汉语和高级汉语。各篇之间的关系如同阶梯，具有依存性和关联性，便于配套使用。如：设计者将"语词→语句→语段→语篇"的教学任务，明确分布于不同层级，强调各自的练习方式，为学习者提供一个循序且完整的训练过程。

同时，《成功之路》各篇也相对独立，可以单独使用。如：《进步篇·听和说》、《进步篇·读和写》从内容到形式，都适合做专项技能训练的独立教材。这种关联与独立相结合的设计，使《成功之路》既能保持配套教材的系统性，又有独立教材的灵活性，免除捆绑式教材的羁绊，为学习者提供更多的选择。

3. 知识与技能

《成功之路》定位于综合性语言技能训练教材。全套教材以训练语言能力为显性设计，以传授语言知识为隐性设计。编写者将语言知识的学习隐含于语言技能训练的全过程。如：《起步篇》、《顺利篇》、《进步篇》尽量淡化语言点的知识性描述，代之以直观的插图、表格、练习等，以此引导教师最大限度地避免单纯的知识讲授。上述"三篇"在设计中兼顾话题单元和语言点顺序，巧妙地处理话题与语言点交集的难题，较好地解决了长期困扰初级教材编写的"带着镣铐跳舞"的问题。《提高篇》和《跨越篇》将语言知识蕴涵在课文和练习中，使学习者能通过有计划的练习和活动实现对知识的理解和运用。

《成功之路》遵循并实践第二语言教学的基本原理，精心设计并处理语言知识和语言技能的关系，帮助学习者在技能训练中学习知识，进而以知识学习提高技能水平，最终达到全面提高汉语交际能力的目的。

4. 语言与文化

《成功之路》既是语言资源，又是文化媒介。在选文和编写过程中，编写者追求文化含量的最大化。全套教材自始至终贯穿一条"文化现象→文化内涵→文化理解"的完整"文化链"。如：《入门篇》、《起步篇》、《顺利篇》、《进步篇》使用初级汉语有限的语言材料，尽可能多地展现文化点，使学习者在学习语言的同时，自然地感受和了解中国文化。《提高篇》和《跨越篇》在对课文材料选取和删改时，特别注意其中的文化含量，为学习者提供丰富多彩的文化内容。《冲刺篇》和《成功篇》选文讲究，力求文质兼美、具有典范性。其中文化理解的可挖掘性为高端学习者构建了探究中国文化深层内涵的平台。

与单纯讲授文化的教材不同，《成功之路》将文化内容寓于语言学习之中。语言提升与文化理解，二者相得益彰。

5. 二维与多维

《成功之路》利用现代科技手段，建造二维平面与多维立体相契合的"教学场"。多媒体课件的研制和使用，弥补了传统平面教材的局限。除了直观、形象、生动的特点外，还可以增强教师对教材的调整和控制能力。如：生词的闪现、语句的重构、背景的再现等，使讲授过程更加得心应手。《成功之路》的多媒体课件可以让教材内容延伸至课堂外，扩大教学空间，形成教师得以充分施展的广阔的"教学场"。

同时，《成功之路》多媒体课件中完整的教学设计和教学思路也是可资借鉴的教案。

◆ 结语

语言教学，可以枯燥得令人生厌，也可以精彩得引人入胜。究其缘由，教师和教材是主因。

期望《成功之路》能为学习者带来一份精彩。

主编：邱军
2008 年 6 月

Preface

Road to Success is a series of foreign language teaching materials for non-native learners of Chinese. It not only can be applied to classroom teaching of formal Chinese teaching institutions, but also can meet the demands of various forms of teaching and self-taught learners.

Road to Success provides a comprehensive and rich teaching content and builds a scrupulous and standard teaching platform. Learners can get systematic learning and training of Chinese language knowledge, skills and culture. Moreover, the combinatorial design of *Road to Success* meets to the greatest extent diversified needs of teaching and learning by providing a wide choice for all types of teaching institutions and self-taught learners.

◆ Framework

Road to Success consists of 22 volumes, designed as a progressively-graded series including *Threshold, Lower Elementary, Elementary, Upper Elementary, Lower Intermediate, Intermediate, Lower Advanced* and *Advanced. Threshold* has 1 volume. *Upper Elementary* has 3 volumes of integrated textbooks, 2 volumes of *Listening and Speaking,* and 2 volumes of *Reading and Writing* respectively. *Lower Intermediate* and *Intermediate* each have 2 volumes of integrated textbooks and 1 volume of *Listening and Speaking.* The other sub-series each has 2 volumes. The title of each series indicates the teaching level. Each series is designed with corresponding level and vocabulary so that learners can choose the right series that suits them.

Ladder Chart of *Road to Success*

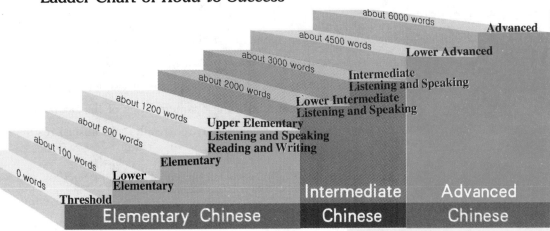

Reference Table for Learners to Choose Textbooks:

Reference Level for Learners			Textbooks
Vocabulary	Corresponding Level of New HSK	Corresponding Level of CEF	
0			*Threshold*
Around 100	Level 1		*Lower Elementary*
Around 600	Level 2–3		*Elementary*
Around 1200	Level 4	A1	*Upper Elementary*
Around 2000	Level 4–5	A2	*Lower Intermediate*
Around 3000	Level 5–6	B1	*Intermediate*
Around 4500	Level 6	B2	*Lower Advanced*
Around 6000		C1	*Advanced*

◆ Basis

Road to Success takes the "Chinese-Teaching Syllabus for Foreign Students of Higher Educational Institutions (Long-Term Study)" ("Syllabus" in short) by the NOCFL as the basis for the development and covers exhaustively items such as the language points, vocabulary, Chinese characters and others in the Syllabus by applying the self-developed compiling and teaching software to ensure the scientificness, systematicness and preciseness of textbooks. The compilers make necessary adjustment to some requirements in the Syllabus, especially those of the advanced Chinese in accordance with the needs of learning and teaching of each level. In addition, the compilation bases on the result of random survey of various types of Chinese learners and research results of the related choice textbooks.

◆ Concept

Road to Success takes amalgamation, integration and innovation as the basic concept of development. Diversity of the connotation of a comprehensive series of teaching materials decides integration of the concept and it cannot be limited to a certain "mode". Therefore, according to the characteristics of the textbooks, the compilers analyse and amalgamate related research results and absorb results of various experts and strong points of each "mode".

Innovation is an important concept of development of *Road to Success* and each volume and section has innovational contents. Innovation points are either implied or clearly stated if necessary, from which the ingenuity of the compilers can be seen. "Easy to learn and teach" is the development goal of *Road to*

Success. For this reason, it is also an important development concept of the compilers to respect feedback of learners and experience of teachers.

◆ Features

As a series of textbooks of teaching Chinese as a foreign language compiled in the new century, *Road to Success* includes some thinking and practices of the compilers in "Tradition and Innovation", "Association and Independence", "Knowledge and Skills", "Language and Culture", "Two-Dimension and Multi-Dimension". As space is limited, these aspects are explained briefly as follows:

1. Tradition and Innovation

Rooted in the development of teaching Chinese as a foreign language, benefiting from its progress, *Road to Success* absorbs abundant nutrition from the fertile soil of teaching Chinese as a foreign language. Successful teaching experience, teaching mode and research results have enriched the content of textbooks. *Road to Success* accords better with the language cognitive rules of learners and is easier for learners to master and apply. For example, *Threshold*, *Lower Elementary* and *Elementary* all take the form of "teaching plus practice", adopting the "mode of teaching plus practice" in the initial stage of teaching Chinese as a foreign language. The design of compiling more suitable forms for beginners has been proved effective through many years of teaching.

Road to Success exerts itself to make innovation on the basis of imparting and inheriting, and each series has its innovation point. For example, *Lower Elementary* and *Elementary*, different from former description angle of language points, change formulaic language established for teachers into practical language geared to the needs of learners to facilitate students' understanding and application. The morpheme exercises of *Lower Intermediate* and *Intermediate* strengthen the role of multiplication, enhance learners' ability of vocabulary association, reduce burden of memory and improve efficiency of study. In addition, the two series offer context in some exercises to improve learners' ability of wording and phrasing and help them study for the sake of application in the future. In view of difficulty in words and expressions in the advanced stage, *Lower Advanced* and *Advanced* establish the "Sum-Up of Similarities and Differences" and integrate closely the rule explanation with exercises to realize an effective transition from understanding to application.

In addition, the innovative ideas and practical thinking are embodied in the general-individual mode of phonetic training in *Threshold*, the syncretic skill training in *Listening and Speaking* and *Reading and Writing* of *the Upper Elementary sub-series*, the listening-speaking mode of "Introduction to the Text" in *Lower Intermediate* and *Intermediate*, the separating-assembling mode of "Background Reading" in *Lower Advanced* and *Advanced*, etc.

2. Association and Independence

Road to Success consists of eight series, covering elementary Chinese, intermediate Chinese and advanced Chinese. The eight series are interdependent like a ladder, associating with each other and can be used as a complete set. For example, the designer clearly distributes the teaching tasks of words and phrases, sentences, paragraphs and passages in different levels, stressing their respective ways of practice and providing learners a step-by-step and complete training process.

Moreover, each series of *Road to Success* is relatively independent and can be used alone. For example, both content and forms of *Listening and Speaking* and *Reading and Writing* of *the Upper Elementary sub-series* can be used as an independent textbook of special skill training. The design of combining association with independence ensures that *Road to Success* has both the systematic nature of a complete set of teaching materials and the flexibility of the independent teaching materials, releasing itself from the fettering of binding materials and providing learners more choices.

3. Knowledge and Skills

Road to Success is oriented towards comprehensive training of language skills. The complete set of teaching materials takes language skill training as the explicit design and language knowledge teaching as the implicit design. The compilers embed the study of language knowledge in the whole process of language skills training. For example, *Lower Elementary*, *Elementary* and *Upper Elementary* weaken knowledge description of language points as much as possible and strengthen visual illustrations, tables, exercises, etc. to guide teachers to avoid simplex knowledge teaching. The design of those three series gives consideration to both the topic unit and the order of language points, skillfully deals with the difficult problem between topics and language points and the problem of "dancing with fetters", which has been restricting the elementary teaching materials for a long time. *Lower Intermediate* and *Intermediate* contain language knowledge in texts and exercises to ensure that learners can understand and apply the knowledge through planned practice and activity.

Road to Success follows and practises the basic principles of second language teaching, carefully designs and deals with the relationship between language knowledge and language skills, helping learners master knowledge through skill training, improving the skill level by learning knowledge and language skills and in the end achieve the goal of comprehensively improving the communicative competence in Chinese.

4. Language and Culture

Road to Success is not only language resources but also a cultural medium. The compilers pursue the maximization of cultural content in selecting texts and compiling the teaching materials. Throughout the whole set of teaching materials, there exists a complete cultural chain — "phenomenon of culture → connotation of culture → understanding of culture". For example, with limited language materials of elementary Chinese, *Threshold*, *Lower Elementary*, *Elementary* and *Upper Elementary* exhibit as many language points as possible to help learners naturally experience and comprehend the phenomenon of Chinese culture while learning the language. When selecting and modifying the texts of *Lower Intermediate* and *Intermediate*, the compilers give special attention to providing learners with rich and colorful cultural contents. *Lower Advanced* and *Advanced* are particular about selecting texts and ensure that the passages are both superior in content and paragons of a kind. The exploitation of understanding of culture can help advanced learners build a platform to explore the deep connotation of Chinese culture.

Different from the textbooks simply teaching culture, *Road to Success* contains cultural contents in language learning. Language learning and understanding of culture bring out the best in each other.

5. Two-Dimension and Multi-Dimension

Road to Success constructs a "teaching field" by means of modern science and technology, where the two-dimensional plane agrees with the multi-dimensional solidly. The development and use of the multimedia courseware make up for the limitations of traditional paper teaching materials. It is visual and vivid and can enhance teachers' ability to adjust and control the teaching materials as well. For example, the flashing of new words, reconstruction of sentences and recurrence of backgrounds make the teaching process more effective. The multimedia courseware of *Road to Success* extends the contents of the teaching materials as far as after-class, expanding teaching space and forming a broad "teaching field", where teachers can fully display their talents.

In addition, the integrated teaching design and teaching ideas in the multimedia courseware of *Road to Success* are also teaching plans that are worth referring to.

◆ Conclusion

On the one hand language teaching can be boring and on the other it also can be fascinating. For those two results, teachers and teaching materials are the main reasons.

I hope that *Road to Success* can bring brilliance to learners.

Chief Editor: Qiu Jun

June, 2008

目 录
CONTENTS

第一单元　确认 介绍
Unit One　To Identify, to Introduce

1

My name is David

语言点：Language Points:

　　1."是"字句　The 是-Sentence

　　2.用"吗"的疑问句　The Interrogative Sentence with 吗

　　3.副词"也"　The Adverb 也

语音注释：Notes on Chinese Phonetics:

　　"不"的变调　The Tone Sandhi of 不

2

This is Anny's map

语言点：Language Points:

　　1.结构助词"的"　The Structural Particle 的

　　2."有"字句（1）　The 有-Sentence (1)

　　3.量词　Measure Words

语音注释：Notes on Chinese Phonetics:

　　"一"的变调　The Tone Sandhi of 一

第二单元　时间　方位
Unit Two　Time and Position

第三单元　日常需要
Unit Three　Daily Necessities

致学习者

本书是继《入门篇》之后的初级汉语教材《起步篇》。从《起步篇》开始,你将迈出学习汉语语法的第一步。

《起步篇》分为两册,共 7 个单元,28 课,其中第一册 3 个单元,第二册 4 个单元。每个单元 4 课。等学完两册,你就会说 600 多个汉语词语,能写 400 多个汉字啦。

请你跟我一起看看《起步篇》吧:

1. 每个单元前有单元目录,你可以很清楚地看到这个单元要学习的课,每课的话题、重要的句子及语言点。

2. 每课包括课文、生词、学说话、语言点注释(语音注释)、学汉字、读写练习、综合练习几个部分。

3. 每课大概 2～3 段课文,生词列在每段课文下边,以在课文中出现的先后为序。

4. "学说话"部分是每课语言点的例句、图和练习。如果你对这个语言点还不是很清楚,可以看看"语言点注释"部分的英文翻译。

5. 我们每课要学习 20 个左右的生字。为了帮助你更好地掌握汉字,"学汉字"部分介绍了一些汉字的结构、部件、偏旁等知识。"读写练习"还提供了大量汉字练习。

6. "综合练习"部分包括听的练习、读的练习和说话的练习,请在课上跟着老师积极地完成这些练习。这样才能真正提高你的汉语能力。

本书每一册都配有听力文本和练习活页。练习活页是学完每课以后的作业,请课后认真完成。每个单元学完了,还有一套单元复习题,可以帮助你集中复习。

本书还配有课文、生词、听力练习题的录音及多媒体教学课件,请利用这些资源进行课后复习、练习。

祝你一路顺利,不断进步,最终走向成功!

编者:杨楠
2008 年 6 月

To Students

Lower Elementary is the textbook which follows *Threshold*. From *Lower Elementary* you will take the first step in learning Chinese grammar.

Lower Elementary consists of two volumes, the first of which covers three units and the second covers four. Each unit is composed of four lessons. There are altogether 28 lessons. After learning the two volumes, you will be able to speak more than 600 Chinese words and expressions and write over 400 Chinese characters.

Let's learn more about *Lower Elementary* together:

1. Before each unit is the contents of the unit, from which you can clearly see the lessons this unit covers and the topics, important sentences and language points of each lesson.

2. Each lesson consists of "Text", "New words", "Learn to Speak", "Notes on Language Points" ("Notes on Chinese Phonetics"), "Learn Chinese Characters", "Reading and Writing Exercises" and "Comprehensive Exercises".

3. Each lesson includes two or three texts and the new words are listed after each text in order of appearance in the text.

4. "Learn to Speak" includes example sentences, charts and exercises of each lesson. If you are still not clear about the language points, you can read the English translation of "Notes on Language Points".

5. We will learn about twenty new characters in a lesson. To help you better understand Chinese characters, "Learn Chinese Characters" introduces some knowledge about the structures, components and radicals of Chinese characters. "Reading and Writing Exercises" further provides a large number of exercises of Chinese characters.

6. "Comprehensive Exercises" includes exercises of listening, reading and speaking. Please finish those exercises following the teacher's instruction in class actively. Only in this way can you really improve your Chinese level.

Both volumes are equipped with the recording script and worksheets. The worksheets are assignments for each lesson. Please finish them in earnest after class. At the end of each unit, there is a set of unit review exercises, which can help you have a comprehensive review.

The book is also equipped with recording of the texts, new words and listening exercises and multi-media teaching courseware. Please review and practise after class with these resources.

Finally wish you make smooth and continuous progress and achieve ultimate success!

Compiler: Yang Nan
June, 2008

缩略形式一览表
Table of Abbreviations

Abbreviation in Chinese	*Grammar Terms in Chinese*	*Grammar Terms in Pinyin*	*Grammar Terms in English*
宾	宾语	bīnyǔ	Object
补	补语	bǔyǔ	Complement
头	词头	cítóu	prefix
尾	词尾	cíwěi	suffix
代	代词	dàicí	Pronoun
定	定语	dìngyǔ	Attributive
动	动词	dòngcí	Verb
副	副词	fùcí	Adverb
叹	感叹词	gǎntàncí	Interjection
介	介词	jiècí	Preposition
连	连词	liáncí	Conjunction
量	量词	liàngcí	Measure Word
名	名词	míngcí	Noun
数	数词	shùcí	Numeral
数量	数量词	shùliàngcí	Numeral+Measure Word
谓	谓语	wèiyǔ	Predicate
形	形容词	xíngróngcí	Adjective
主	主语	zhǔyǔ	Subject
助	助词	zhùcí	Particle
助动	助动词	zhùdòngcí	Auxiliary Verb
状	状语	zhuàngyǔ	Adverbial

Dàwèi
大卫,男,法国留学生。
David, male, French student.

Shānběn
山本,男,日本留学生。
Yamamoto, male, Japanese student.

Mǎdīng
马丁,男,加拿大留学生。
Martin, male, Canadian student.

Ānní
安妮,女,加拿大留学生。
Anny, female, Canadian student.

Lǐ Xiǎomíng
李小明,男,中国学生。
Li Xiaoming, male, Chinese student.

Lín Yuè
林月,女,中国学生。
Lin Yue, female, Chinese student.

Dīng Lán
丁兰,女,汉语老师。
Ding Lan, female, Chinese teacher.

Tiánzhōng
田中,男,山本的朋友。
Tanaka, male, friend of Yamamoto.

Jiāwén
加文,男,马丁的朋友。
Gavin, male, friend of Martin.

Fāng Dàtóng
方大同,男,李小明的同屋。
Fang Datong, male, roommate of Li Xiaoming.

Lǐ Měi'ài
李美爱,女,安妮的同学,韩国人。
Lee Mi-ae, female, classmate of Anny, from Republic of Korea.

第一单元　确认　介绍
Unit One　To Identify, to Introduce

课号 Lesson	题目 Title	话题 Topic	句型 Structures	语言点 Language Points
1	我叫大卫	姓名和国籍 Name & Nationality	我是法国人。 我不是中国人。 你是中国人吗？ 他也是学生。	1. "是"字句 The 是-Sentence 2. 用"吗"的疑问句 The Interrogative Sentence with 吗 3. 副词"也" The adverb 也
2	这是 安妮的地图	身边的物品 Daily Necessities	这是大卫的书。 我有本子。 我没有地图。 山本有一本词典。	1. 结构助词"的" The Structural Particle 的 2. "有"字句（1） The 有-Sentence (1) 3. 量词 Measure Words
3	你家 有几口人	家庭 Family	他是谁？ 这是什么？ 你妈妈做什么工作？ 你家有几口人？	1. 用疑问代词的疑问句 The Interrogative Sentence with Interrogative Pronoun 2. 人称代词作定语 Personal Pronouns as Attributives
4	你们班有 多少学生	班级 Class	你们班有多少学生？ 我们班有 22 个学生。	1. 称数法（1）：百以内 Counting Numbers below 100 2. "几"和"多少" 几 and 多少

1 我叫大卫
My name is David

课文 Texts

（一）

山本　Nǐ hǎo! Wǒ jiào Shānběn, shì Rìběn rén.
你好！我叫山本，是日本人。

大卫　Nǐ hǎo! Wǒ jiào Dàwèi.
你好！我叫大卫。

山本　Nǐ shì Fǎguó rén ma?
你是法国人吗？

大卫　Shì.
是。

山本　Tā shì Fǎguó rén ma?
他是法国人吗？

大卫　Bú shì. Tā shì Jiānádà rén.
不是。他是加拿大人。

生词 New Words

❶	你	（代）	nǐ	you (sing.)
❷	好	（形）	hǎo	good, fine, nice
❸	我	（代）	wǒ	I, me
❹	叫	（动）	jiào	to call, to be called
❺	是	（动）	shì	to be
❻	人	（名）	rén	person
❼	吗	（助）	ma	*an interrogative particle*
❽	他	（代）	tā	he, him
❾	不	（副）	bù	not
❿	日本	（名）	Rìběn	Japan
⓫	法国	（名）	Fǎguó	France
⓬	加拿大	（名）	Jiānádà	Canada

（二）

丁兰　Nǐmen hǎo!　Wǒ shì Dīng lǎoshī.
你们 好！ 我 是 丁 老师。

马丁　Lǎoshī,　nín hǎo!
老师，您 好！

Wǒ shì　Jiānádà xuésheng. Wǒ jiào Mǎdīng.
我 是 加拿大 学生。我 叫 马丁。

Tā yě shì Jiānádà rén, tā jiào Ānní.
她 也 是 加拿大 人，她 叫 安妮。

生词 New Words

⑬	们	（尾）	men	*a suffix indicating plurality*
	我们	（代）	wǒmen	we, us
	你们	（代）	nǐmen	you (pl.)
	他们	（代）	tāmen	they, them
	她们	（代）	tāmen	they, them (female)
⑭	老师	（名）	lǎoshī	teacher
⑮	您	（代）	nín	you (polite form)
⑯	学生	（名）	xuésheng	student
⑰	她	（代）	tā	she, her
⑱	也	（副）	yě	also, too

（三）

Wǒ shì Jiānádà rén.　Wǒ jiào Mǎdīng.　Tā jiào Lín Yuè, shì Zhōngguó xuésheng;
我 是 加拿大 人。我 叫 马丁。 她 叫 林月，是 中国 学生；

tā jiào Lǐ Xiǎomíng, yě shì Zhōngguó rén.　Tā bú shì xuésheng, tā shì Dīng lǎoshī.
他 叫 李小明，也 是 中国 人。她 不 是 学生，她 是 丁 老师。

生词 New Words

⑲	中国	（名）	Zhōngguó	China

姓 Family Name	名 Given Name
林	月
李	小明
丁	兰

学说话　Learn to Speak

1. 是

2. ……吗?

1　是

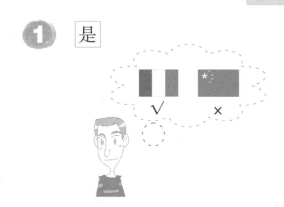

不 + 是

是不 ×

我是法国人。

我不是中国人。

👁 + 👄　看图完成句子　Complete the sentences according to the pictures.

（1）我_____加拿大人。

（2）她_____中国人。

（3）_____老师。

（4）他们_____。

 ……吗?

 ? 你是中国人吗?

Answer:
我是中国人。
or
我不是中国人。

 看图完成对话 Complete the dialogues according to the pictures.

（1）A:＿＿＿＿＿＿？

B:我是学生。

（2）A:＿＿＿＿＿＿？

B:我不是日本人。

（3）A:＿＿＿＿＿＿？

B:她不叫安妮。

语言点注释 Notes on Language Points

1 "是"字句 The 是–Sentence

"是"字句是由"是"作谓语构成的句子,主要表示肯定、判断,即说明事物等于什么或者属于什么。例如:

Sentences with 是 as the predicate are known as the 是 –sentences, e.g.,

我是法国人。

他是学生。

否定形式用"不"。例如：

Its negative form is formed by adding 不, e.g.,

> 我不是中国人。
> 他不是老师。

2 用"吗"的疑问句　The Interrogative Sentence with 吗

"吗"用在一个陈述句的末尾,可以构成疑问句。以该陈述句的肯定形式或否定形式作为回答。例如：

吗 can be attached at the end of a declarative sentence to form an interrogative sentence. Either the affirmative or negative form can be used as the answer, e.g.,

Question	Answer
你是中国人吗?	我是中国人。
	我不是中国人。
你叫大卫吗?	我叫大卫。
	我不叫大卫。

3 副词"也"　The Adverb 也

在一个句子中,副词应放在动词前面,如"也是""不是"。副词"也"与其他副词同时使用时一般放在其他副词前面,如"也不是"。例如：

Usually an adverb should be put before a verb, e.g. 也是 , 不是. When the adverb "也" is used with other adverbs, usually it should be put before them, e.g. 也不是, e.g.,

> 我是加拿大人,她也是加拿大人。
> 大卫不是老师,山本也不是老师。

语音注释　**Notes on Chinese Phonetics**

"不"的变调　The Tone Sandhi of 不

"不"单念，或者在词句末尾，或者在非四声音节前均念原调四声。

不 is pronounced as the fourth tone when used alone or at the end of the sentence, or followed by any tone other than the fourth tone.

$$
bù + \begin{cases} - & \longrightarrow \quad bù + - \\ \diagup & \longrightarrow \quad bù + \diagup \\ \vee & \longrightarrow \quad bù + \vee \end{cases}
$$

"不"在四声音节前读为二声。

不 is pronounced as the second tone when followed by the fourth tone.

$$
bù + \diagdown \quad \longrightarrow \quad bú + \diagdown
$$

不 chī	不 hē	不 tīng
不 máng	不 nán	不 cháng
不 hǎo	不 mǎi	不 xiǎng
不 shì	不 jiào	不 qù

学汉字   Learn Chinese Characters

1. 汉字基本结构（1） Basic Structures of Chinese Characters (1)

结构 Structure		例字 Example	图解 Structure Illustration
独体字 Single-component characters		也	☐
合体字 Multi-component characters	左右结构 Left-right structure	好	1 ¦ 2
	上下结构 Top-bottom structure	是	1 / 2

The figures indicate the order to write the components.

Most Chinese characters are compound ones. Thus, it is important to know its structure when we write a character.

2. 偏旁（1） Radicals (1)

偏旁 Radical	名称 Name	例字 Example	说明 Explanation
亻	dānrénpáng	你 他 们	related to "person"
口	kǒuzìpáng	叫 吗	related to "mouth"
女	nǚzìpáng	她 好	related to "female"

It is of great help to learn the radicals if one wants to memorize and write characters and to consult a Chinese dictionary.

读写练习 Reading and Writing Exercises

Practise the following characters.

练习本课汉字

你	好	我	叫	是	吗	他	不	们	她
老	师	您	学	生	也				

1. 听汉字，按听到的顺序给下列汉字编号。
   Listen and number the characters according to the order you hear.

 也　　 不　　 生　　 我

2. 找到相应的拼音，读一读练习 1 中的汉字。
   Find the corresponding *pinyin* for the characters in Exercise 1 and read them aloud.

   yě　　　wǒ　　　shēng　　　bù

3. 描写练习 1 中的汉字。
   Trace the characters in Exercise 1.

 限时 5 分钟　　Time limit: 5 mins

4. 找一找左边的字在右边的句子里出现了几次，把次数记下来。
   Count how many times each character on the left appear in the sentences on the right.

她是老师。

他叫田大力。

我们也是学生。

他们是中国人吗？

你们好！

我不是老师，是学生。

您是老师吗？

你好！

5. 在练习 4 的汉字中找一找下边结构的汉字。
   Find characters with the following structures in Exercise 4.

6. 在练习 4 的汉字中找一找下边结构的汉字。
   Find characters with the following structures in Exercise 4.

7. 描写练习 4 中的汉字。
   Trace the characters in Exercise 4.

8. 朗读下边的词和短语。
   Read aloud the following words and phrases.

   （1）学生　　　（2）老师　　　（3）你好　　　（4）我们

综合练习　Comprehensive Exercises

1. 看图说话　Look and say
   Key words：叫　是　不是　也是　吗

2. 小组活动　Group activities

(1) 四个人一个小组,互相介绍自己。
Form groups of four persons and introduce each other within the group.

A

E.g., 我叫大卫,是法国人。

(2) 一个人向老师报告自己小组中几个人的情况。
Introduce your group members to the teacher.

B

E.g., 他叫大卫,是法国人。

3. 听话找图;看图复述　Listen and find the right picture. Then retell what you've just heard about the pictures.

4. 朗读读写练习 4 中的句子　Read the sentences in Exercise 4 of Reading and Writing Exercises.

5. 用汉字写下你的名字和国籍　Write down your name and your nationality in Chinese.

名字(name):＿＿＿＿＿＿＿＿＿＿＿＿＿＿＿＿

国籍(nationality):＿＿＿＿＿＿＿＿＿＿＿＿＿＿

2 这是安妮的地图
This is Anny's map

（一）

马丁　Dàwèi, zhè shì nǐ de shū ma?
大卫，这是你的书吗？

大卫　Shì.
是。

马丁　Zhè shì nǐ de cídiǎn ma?
这是你的词典吗？

大卫　Bú shì, zhè shì Shānběn de cídiǎn.
不是，这是山本的词典。

马丁　Zhè shì Ànní de dìtú ma?
这是安妮的地图吗？

大卫　Shì. Mǎdīng, zhè shì nǐ de běnzi ma?
是。马丁，这是你的本子吗？

马丁　Zhè shì wǒ de běnzi. Zhè shì Shānběn de bǐ.
这是我的本子。这是山本的笔。

生词 New Words

❶	这	（代）	zhè	this
❷	的	（助）	de	*a particle indicating possession*
❸	书	（名）	shū	book
❹	词典	（名）	cídiǎn	dictionary
❺	地图	（名）	dìtú	map
❻	本子	（名）	běnzi	exercise book
❼	笔	（名）	bǐ	pen

(二)

马丁　Dàwèi, nǐ yǒu běnzi ma?
大卫,你有本子吗?

大卫　Yǒu.
有。

马丁　Nǐ yǒu cídiǎn ma?
你有词典吗?

大卫　Méiyǒu.
没有。

马丁　Ānní yǒu cídiǎn ma?
安妮有词典吗?

大卫　Tā yě méiyǒu cídiǎn. Shānběn yǒu cídiǎn.
她也没有词典。山本有词典。

生词　New Words

| ⑧ | 有 | （动） | yǒu | to have |
| ⑨ | 没有 | （动） | méiyǒu | do not have |

(三)

Ānní yǒu yì zhī bǐ, Dàwèi yǒu sān ge běnzi. Tāmen méiyǒu cídiǎn,
安妮有一支笔,大卫有三个本子。他们没有词典,
Shānběn yǒu liǎng běn cídiǎn. Wǒ yǒu yì zhāng dìtú, Ānní yě yǒu yì zhāng dìtú.
山本有两本词典。我有一张地图,安妮也有一张地图。
Zhè bú shì wǒ de dìtú, shì Ānní de dìtú.
这不是我的地图,是安妮的地图。

生词　New Words

⑩	支	（量）	zhī	(a measure word)
⑪	个	（量）	gè	(a measure word)
⑫	两	（数）	liǎng	two
⑬	本	（量）	běn	(a measure word)
⑭	张	（量）	zhāng	(a measure word)

学说话　Learn to Speak

> 1. 的
> 2. 有
> 3. 本、张、支、个

1 | 的 |

owner +的+ sth.

这是大卫的书。

👄 完成对话　Complete the dialogue.

A：这是你的＿＿＿＿＿吗？

B：这是＿＿＿＿＿＿＿。

| 书 | 词典 | 本子 |
| 笔 | 地图 | |

2 | 有 |

本子

owner +有+ sth.

是 ⟷ 不是
有 ⟷ 没有
不有 ✕

我有本子。

我没有地图。

👄 完成对话　Complete the dialogue.

A：你有＿＿＿＿＿＿吗？

B：我＿＿＿＿＿＿＿。

| 书 | 词典 | 本子 |
| 笔 | 地图 | |

3 | 本、张、支、个 |

一本词典　　三本书　　一张地图　　两支笔　　一个本子

👄 **量词填空** Fill in the blanks with measure words.

一_____书　　　　　一_____词典

一_____地图　　　　一_____笔

一_____本子

语言点注释　Notes on Language Points

1　结构助词"的"　The Structural Particle 的

表示领属关系的定语后面要加结构助词"的"。例如：

Structural particle 的 occurs after an attributive that expresses possessive relationship, e.g.,

> 这是大卫的书。
> 这是我的本子。

2　"有"字句（1）　The 有 –Sentence (1)

"有"字句是由"有"作谓语构成的句子,它的基本意义是表示"领有""具有"。例如：

Sentences with the verb 有 as the predicate are known as the 有-sentence. It is mainly used to express possession, e.g.,

> 我有词典。
> 我有地图。

否定形式用"没",不用"不"。例如：

Its negative form is 没有 instead of 不有, e.g.,

> 我没有地图。√
> 我不有地图。×

否定句中,宾语不带数量定语。例如：

In its negative form, no numeral-classifier compound can be used before the object, e.g.,

> 我没有词典。　　　√
> 我没有一本词典。　×

3　量词　Measure Words

数词和名词之间一般要用量词。例如：

Measure words are used between the numerals and nouns, e.g.,

Num.	M.W.	N.	
一	本	书	（一书　　×）
两	张	地图	（两地图　×）
三	支	笔	（三笔　　×）

名词一般都有特定的量词。例如：

Nouns usually have special measure words that match them, e.g.,

量词 Measure Word	例 Example	说明 Explanation
本	一本书	用于书籍 used for books of various kinds 书　　词典
张	一张地图	用于有平面的东西 used for sth. with a surface 纸　　地图　　照片
支	一支笔	用于杆状的东西 used for long, thin and inflexible objects 笔　　蜡烛　　枪
个	一个本子	用于没有专用量词的名词 used before nouns without special measure words of their own 本子　　书包　　杯子

注意:在量词前面,一般用"两",不用"二",例如:

Note: 两 is usually used before measure words, instead of 二, e.g.,

两个人	√	两本书	√
二个人	×	二本书	×

语音注释　Notes on Chinese Phonetics

"一"的变调　The Tone Sandhi of 一

"一"单念,或者在词句末尾,或者表示数字时念原调一声。

When 一 is used alone or at the end of a sentence, or used as a numeral it is pronounced as the first tone.

"一"在四声音节前读为二声。

一 changes to the second tone when used before characters in the fourth tone.

$$yī + \text{、} \longrightarrow yí + \text{、}$$

"一"在非四声音节前读为四声。

一 changes to the fourth tone when used before characters pronounced other than the fourth tone.

$$yī + \begin{matrix} - \\ \text{ˊ} \\ \text{ˇ} \end{matrix} \longrightarrow yì + \begin{matrix} - \\ \text{ˊ} \\ \text{ˇ} \end{matrix}$$

一 zhāng	一 tiān	一 bān
一 tiáo	一 jié	一 zhí
一 běn	一 bǎ	一 diǎnr
一 wèi	一 dìng	一 xiàr

学汉字　**Learn Chinese Characters**

1. 汉字基本结构（2）　Basic Structures of Chinese Characters (2)

合体字的第三种基本结构是包围结构。

The third basic structure of multi-component characters is called "enclosed structure".

包围结构 Enclosed Structure		例字 Example	图解 Structure Illustration
四面包围 enclosed on four sides		图　国	1 2 3
两面包围 enclosed on two sides	①左上包围 enclosed from top and left	有　老	1 2
	②左下包围 enclosed from bottom and left	这	1 2

> The figures indicate the order to write the components.

2. 偏旁（2）　Radicals (2)

偏旁 Radical	名称 Name	例字 Example	说明 Explanation
囗	guózìkuàng	四 图　国 country	related to "surroundings, border"
辶	zǒuzhīdǐ	这 进 enter　道 road	related to "walk, road"
⺮	zhúzìtóu	笔	related to "bamboo"

读写练习 **Reading and Writing Exercises**

Practise the following characters.

练习本课汉字

这	的	书	词	典	地	图	笔	本	有
没	支	个	两	张					

1. 听汉字,按听到的顺序给下列汉字编号。
   Listen and number the characters according to the order you hear.

 个　　 书　　 本　　 两

2. 找到相应的拼音,读一读练习 1 中的汉字。
   Find the corresponding *pinyin* for the characters in Exercise 1 and read them aloud.

   shū　　　liǎng　　　gè　　　běn

3. 描写练习 1 中的汉字。
   Trace the characters in Exercise 1.

 限时 5 分钟　**Time limit: 5 mins**

4. 找一找左边的字在右边的句子里出现了几次,把次数记下来。
   Count how many times each character on the left appear in the sentences on the right.

图　书　有　这　词　地

没　张

典　笔

支　的

这是你的书吗?
我有两本词典。
这不是他的地图。
安妮有一支笔。
他没有词典。
老师有两张中国地图。

5. 在练习4的汉字中找一找下边结构的汉字。

Find characters with the following structures in Exercise 4.

6. 在练习4的汉字中找一找下边结构的汉字。

Find characters with the following structures in Exercise 4.

7. 描写练习4中的汉字。

Trace the characters in Exercise 4.

8. 朗读下边的词和短语。

Read aloud the following words and phrases.

（1）词典　　　（2）地图　　　（3）没有

（4）这是书　　（5）两支笔　　（6）你的本子

综合练习　Comprehensive Exercises

1. 听后连线，然后复述　Listen and draw a line to match the picture on the left with the names on the right.

Dàwèi

Shānběn

Mǎdīng

Ānní

2. 小组活动　Group activity

四个人一个小组,把各自的东西放在一起,互相询问,确认各自的物品。

Form groups of four persons. Put everybody's stuff together and then find out the owner of each item by asking questions.

Key words:这是……　的　吗

3. 小组活动　Group activities

（1）用下边的结构调查班里的五个同学。

Ask five classmates the question:

你有……吗? (Do you have...?)

A

E.g., A:你有书吗?　　　　　A:你有词典吗?

B:有。我有一本书。　　B:我没有词典。

（2）边调查边填下表。

Fill out the table.

B

	姓名 Name	√		×
例子 Example	大卫	书	1	词典
①				
②				
③				
④				
⑤				

（3）报告调查结果。

Report the result of your survey.

C

E.g., 大卫有一本书,他没有词典。

4. 朗读读写练习 4 中的句子　Read the sentences in Exercise 4 of Reading and Writing Exercises.

3

你家有几口人
How many people are there in your family

课文 Texts

(一)

小明　Mǎdīng, zhè shì shénme?
马丁，这是什么?

马丁　Zhè shì wǒ jiā de zhàopiàn.
这是我家的照片。

小明　Nǐ jiā yǒu jǐ kǒu rén?
你家有几口人?

马丁　Wǒ jiā yǒu sì kǒu rén.
我家有四口人。

小明　Tā shì shéi?
他是谁?

马丁　Tā shì wǒ gēge.
他是我哥哥。

哥哥

生词 New Words

❶	什么	(代)	shénme	what
❷	家	(名)	jiā	home, family
❸	照片	(名)	zhàopiàn	photograph
❹	几	(数)	jǐ	how many
❺	口	(量)	kǒu	(a measure word)
❻	谁	(代)	shéi/shuí	who, whom
❼	哥哥	(名)	gēge	elder brother

（二）

大卫　Shānběn, nǐ jiā yǒu jǐ kǒu rén?
山本，你家有几口人？

山本　Sì kǒu rén: bàba、 māma、 jiějie hé wǒ.
四口人：爸爸、妈妈、姐姐和我。

大卫　Nǐ bàba、 māma zuò shénme gōngzuò?
你爸爸、妈妈做什么工作？

山本　Wǒ bàba shì lǎoshī, māma bù gōngzuò.
我爸爸是老师，妈妈不工作。

　　　Dàwèi, nǐ jiā yǒu jǐ kǒu rén?
大卫，你家有几口人？

大卫　Wǒ jiā yě yǒu sì kǒu rén.
我家也有四口人。

　　　Wǒ méiyǒu jiějie, wǒ yǒu yí ge mèimei.
我没有姐姐，我有一个妹妹。

山本　Nǐ māma gōngzuò ma?
你妈妈工作吗？

大卫　Gōngzuò. Tā shì dàifu.
工作。她是大夫。

生词 New Words

⑧	爸爸	（名）	bàba	father
⑨	妈妈	（名）	māma	mother
⑩	姐姐	（名）	jiějie	elder sister
⑪	和	（连）	hé	and
⑫	做	（动）	zuò	to do, to make
⑬	工作	（名、动）	gōngzuò	job; to work
⑭	妹妹	（名）	mèimei	younger sister
⑮	大夫	（名）	dàifu	doctor (used in spoken Chinese)

（三）一 封 信
yì fēng xìn

A letter

Ānní
安妮：

Nǐ hǎo!
你好!

Zhè shì wǒmen quán jiā de zhàopiàn. Wǒ jiā yǒu sān kǒu rén: bàba、māma
这是我们全家的照片。我家有三口人：爸爸、妈妈

hé wǒ. Wǒ méiyǒu gēge、jiějie, yě méiyǒu dìdi、mèimei. Wǒ bàba shì
和我。我没有哥哥、姐姐，也没有弟弟、妹妹。我爸爸是

lǎoshī, māma shì dàifu. Wǒ shì xuésheng.
老师，妈妈是大夫。我是学生。

Nǐ jiā yǒu jǐ kǒu rén?   Nǐ bàba、māma zuò shénme gōngzuò? Nǐ yǒu
你家有几口人? 你爸爸、妈妈做什么工作? 你有

quán jiā de zhàopiàn ma?
全家的照片吗?

Lín Yuè
林 月
2008.6.10

生词 New Words

16	全	（形）	quán	whole
17	弟弟	（名）	dìdi	younger brother

学说话 **Learn to Speak**

1. 谁
2. 什么
3. 几

1 谁

我妈妈

她是谁?

Ask about person

👁 + 👄 **看图完成对话** Complete the dialogues according to the pictures.

妈妈

爸爸

弟弟

（1）A:＿＿＿＿＿＿？

B:她是我妈妈。

（2）A:＿＿＿＿＿＿＿？

B:我爸爸是老师。

（3）A:＿＿＿＿＿＿＿？

B:这是我弟弟的书。

2 什么

全家的照片

这是什么?

Ask about object

 + 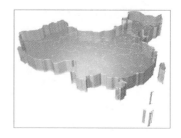 　看图完成对话　Complete the dialogues according to the pictures.

（1）A：＿＿＿＿＿＿＿＿＿？

　　B：这是书。

（2）A：这是什么地图？

　　B：＿＿＿＿＿＿＿＿＿。

（3）A：你妈妈做什么工作？

　　B：＿＿＿＿＿＿＿＿＿。

（4）A：＿＿＿＿＿＿＿＿＿？

　　B：他是大夫。

3　几

Ask about number

你家有几口人？

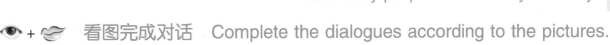

👁 + 👄 **看图完成对话** Complete the dialogues according to the pictures.

(1) A: _____?

B: 我家有五口人。

(2) A: _____?

B: 我有两个弟弟。

(3) A: _____?

B: 大卫有两个本子。

语言点注释 Notes on Language Points

1 用疑问代词的疑问句 The Interrogative Sentence with Interrogative Pronoun

问人用"谁",问事物用"什么",问数目用"几"。例如:

Use 谁 to ask about person, 什么 to ask about object, and 几 to ask about number, e.g.,

谁	谁是老师？ 我爸爸是老师。	他是谁？ 他是我爸爸。	这是谁的书？ 这是我的书。
什么		这是什么？ 这是地图。	你妈妈做什么工作？ 她是老师。
几			你家有几口人？ 我家有三口人。

用疑问代词提问的疑问句,语序与陈述句一样。对哪个部分进行提问,就把疑问代词放在哪个成分的位置上。

The word order of such a question is exactly the same as that of the declarative sentence. The question is formed by putting the interrogative pronoun in the position where the answer is located.

"谁"与名词连用,一般要用"的";"什么"与名词连用,一般不用"的"。例如:

When 谁 is used before a noun, 的 is usually put in-between; while 什么 can be used directly before a noun, e.g.,

> 这是谁的地图？　√　　这是什么的地图？　×
>
> 这是谁地图？　　×　　这是什么地图？　　√

"几"与名词连用,中间通常要插入适当的量词。例如:

There is a measure word between 几 and the noun, e.g.,

> 你家有几口人？　√
>
> 你家有几人？　　×

用疑问代词提问的疑问句,不能在句尾加"吗"。例如:

吗 cannot be used in this kind of questions, e.g.,

> 他是谁？　　　√　　这是什么？　　　√　　你家有几口人？　　　√
>
> 他是谁吗？　×　　这是什么吗？　×　　你家有几口人吗？　×

2　人称代词作定语　Personal Pronouns as Attributives

人称代词作定语,可以表示领属,后面要加结构助词"的"。例如:

When personal pronouns are used as attributives, they can express the possessive relationship, and followed by the structural particle 的, e.g.,

> 我的书　　√
>
> 我书　　　×

如果所修饰的中心语指亲友或所属单位,"的"可用可不用,尤其在口语中,常常不用。例如:

When the head words indicate kinships or the work unit one belongs to, 的 is optional and often omitted in spoken language, e.g.,

> 我的哥哥　√　　　　　　　　　　Compare：马丁的哥哥　√
>
> 我哥哥　　√（★used frequently）　　马丁哥哥　　×

学汉字 Learn Chinese Characters

1. 汉字基本结构（3） Basic structures of Chinese characters (3)

有的合体字由两个以上的部件组成。例如：

Some multi-component characters are composed of more than 2 components. For example:

| 1 | 2 | 3 | 做 |

| 1 | 2 / 3 | 没 |

| 1 | 2 / 3 | 您 |

| 1 | 2 / 3 / 4 | 照 |

The figures indicate the order to write the components.

The order to write characters with more than two components follows the same rules of "from left to right", "from top to bottom" and "from the outer component(s) to the inner one(s)".

2. 偏旁（3） Radicals (3)

偏旁 Radical	名称 Name	例字 Example	说明 Explanation
讠	yánzìpáng	词 谁	related to "speaking, knowledge"
宀	bǎogàitóu	家	related to "roof"
人	rénzìtóu	全	related to "person"

读写练习　**Reading and Writing Exercises**

Practise the following characters.

练习本课汉字

| 什 | 么 | 家 | 照 | 片 | 几 | 谁 | 哥 | 爸 | 妈 |
| 姐 | 和 | 做 | 工 | 作 | 妹 | 夫 | 全 | 弟 |

1. 听汉字，按听到的顺序给下列汉字编号。

Listen and number the characters according to the order you hear.

几　么　工　夫　片　弟

2. 找到相应的拼音，读一读练习 1 中的汉字。

Find the corresponding *pinyin* for the characters in Exercise 1 and read them out.

me　　piàn　　jǐ　　gōng　　dì　　fū

3. 描写练习 1 中的汉字。

Trace the characters in Exercise 1.

 限时 5 分钟　**Time limit: 5 mins**

4. 找一找左边的汉字在右边的句子里出现了几次，把次数记下来。

Count how many times each character on the left appear in the sentences on the right.

这是什么？

我家有四口人：爸爸、妈妈、一个弟弟和我。

我爸爸不是大夫。

你哥哥做什么工作？

她是谁？

我有一张全家的照片。

大卫有一个姐姐，她不工作。

我妹妹是学生。

这是谁的照片？

5. 在练习 4 的汉字中找一找下边结构的汉字。
Find characters with the following structures in Exercise 4.

6. 将汉字和相应的结构用线连起来。
Match each of the characters with its corresponding structure with a single line.

照　做　没　您

7. 描写练习 4 中的汉字。
Trace the characters in Exercise 4.

8. 朗读下边的词和短语。
Read aloud the following words and phrases.
（1）照片　　（2）全家　　（3）我爸爸　　（4）他是谁
（5）几口人　　（6）哥哥和姐姐　　（7）做什么工作

综合练习　Comprehensive Exercises

1. 看图听话；听后回答问题，然后看图复述　Look at the picture and listen to the recording. Then answer the questions and retell what you've just heard about the picture.

问题：**Questions:**

（1）安妮有全家的照片吗？

（2）安妮是中国人吗？

（3）她家有几口人？

（4）她有姐姐、妹妹吗？她有几个弟弟？

（5）她爸爸和哥哥做什么工作？

（6）她妈妈工作吗？

2. 看图对话　Look and Say.

Key points：几口人？做什么工作？有哥哥(姐姐、弟弟、妹妹)吗？

3. 表达练习：介绍你的家庭　Oral practice: introduce your family.

Key points：我家有……口人：……和我。

我(没)有哥哥(姐姐、弟弟、妹妹)。

……是……(工作)

4. 朗读读写练习 4 中的句子　Read the sentences in Exercise 4 of Reading and Writing Exercises.

4 你们班有多少学生
How many students are there in your class

课文 Texts

(一)

小明　Shānběn, nǐmen bān yǒu duōshao xuésheng?
山本，你们 班 有 多少 学生？

山本　Wǒmen bān yǒu èrshí'èr ge xuésheng.
我们 班 有 22 个 学生。

小明　Nǐmen xuéxí shénme?
你们 学习 什么？

山本　Wǒmen xuéxí Hànyǔ.
我们 学习 汉语。

小明　Hànyǔ nán ma?
汉语 难 吗？

山本　Hànyǔ bù nán.
汉语 不 难。

生词 New Words

❶	班	（名）	bān	class
❷	多少	（代）	duōshao	how much, how many
❸	学习	（动）	xuéxí	to study, to learn
	学	（动）	xué	to study, to learn
❹	汉语	（名）	Hànyǔ	Chinese
	语		yǔ	a language
	英语	（名）	Yīngyǔ	English
❺	难	（形）	nán	difficult

33

（二）

Zhè shì wǒmen quán bān tóngxué de zhàopiàn.　Wǒmen bān yǒu èrshí'èr ge

这 是 我们 全 班 同学 的 照片。 我们 班 有 22 个

xuésheng,　shíwǔ ge nánshēng,　qī ge nǚshēng.

学生，　15 个 男生，7 个 女生。

Wǒmen dōu xuéxí　Hànyǔ.

我们 都 学习 汉语。

生词　New Words

⑥	同学	（名）	tóngxué	schoolmate
⑦	男生	（名）	nánshēng	boy student
	男	（形）	nán	male
⑧	女生	（名）	nǚshēng	girl student
	女	（形）	nǚ	female
⑨	都	（副）	dōu	all

（三）

（李小明和妹妹在宿舍，马丁敲门。Li Xiaoming and his younger sister are at his domitory, when Martin is knocking at the door.）

李小明　Qǐng jìn!

请 进!

马丁　Xiǎomíng, nǐ hǎo!　Zhè shì shéi?

小明，你 好! Yí —?! 这 是 谁?

李小明　Zhè shì wǒ mèimei. Xiǎoyún, zhè shì wǒ de wàiguó péngyou Mǎdīng.

这 是 我 妹妹。小云，这 是 我 的 外国 朋友 马丁。

妹妹　Nín hǎo!

您 好!

马丁　Nǐ　hǎo! Nǐ jiào shénme míngzi?

你 好! 你 叫 什么 名字?

妹妹 Wǒ jiào Lǐ Xiǎoyún.　Nín shì　nǎ guó rén?

我 叫 李 小 云。您 是 哪 国 人?

马丁 Wǒ shì Jiānádà　rén.

我 是 加 拿 大 人。

妹妹 Nǐmen bān dōu shì　Jiānádà xuésheng ma?

你 们 班 都 是 加 拿 大 学 生 吗?

马丁 Bù　dōu shì.

不 都 是。

妹妹 Nǐmen bān yǒu duōshao Jiānádà　xuésheng?

你 们 班 有 多 少 加 拿 大 学 生?

马丁 Wǒmen bān yǒu èrshí'èr ge xuésheng, liǎng　ge　Jiānádà xuésheng.

我 们 班 有 22 个 学 生,两 个 加 拿 大 学 生。

妹妹 Nǐmen　dōu xuéxí　Hànyǔ ma?

你 们 都 学 习 汉 语 吗?

马丁 Wǒmen dōu xuéxí Hànyǔ.　Nǐ　xuéxí　shénme?

我 们 都 学 习 汉 语。你 学 习 什 么?

妹妹 Wǒ　xuéxí　Yīngyǔ.

我 学 习 英 语。

生词 · New Words

⑩	请	(动)	qǐng	please (term of respect)
⑪	进	(动)	jìn	to enter, to come in
⑫	外国	(名)	wàiguó	foreign country
⑬	朋友	(名)	péngyou	friend
⑭	名字	(名)	míngzi	name
⑮	哪	(代)	nǎ/něi	which, what
⑯	国	(名)	guó	state; country

学说话　**Learn to Speak**

> 1. 1—99
> 2. 多少

① 　1—99

1002班

1	大卫	法国
......	......	......
10	山本	日本
......	......	......
20	马丁	加拿大
21	......	......
22	......	......

$$20 + 2 = 22$$
$$二十 + 二 → 二十二$$

我们班有22个学生。

👄 **读下边的数字**　Read the following numbers.

10　12　35　47　58　96　27　60　11　79　84

② 　多少

Ask about number (≥10)

你们班有多少学生？

👄 **完成对话**　Complete the dialogue.

A: 你们班有多少＿＿＿＿＿＿？

B: ＿＿＿＿＿＿＿＿＿＿。

| 学生 | 男生 | 女生 |
| 日本学生 | | 法国学生 |

语言点注释　Notes on Language Points

1 称数法（1）：百以内　Counting Numbers below 100

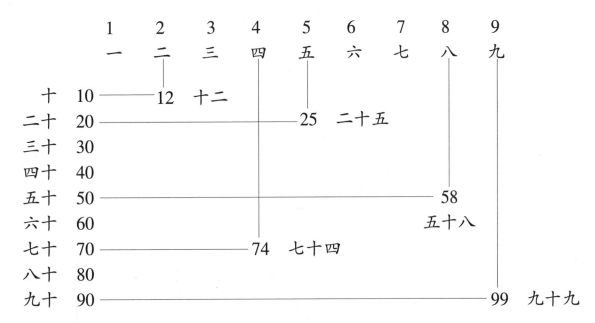

注意：在这里，"二"不能换成"两"。

Note that 二 here can't be replaced by 两.

2 "几"和"多少"　几 and 多少

"几"和"多少"都可用来询问数目。

几 and 多少 can both be used to ask about an amount.

"几"用来问 1 到 10 之间的数字；"多少"可以问 10 以上的任何数字。例如：

几 usually indicates a number below 10. And 多少 can be used to ask about any number above 10, e.g.,

几（<10）	多少（≥10）
你家有**几**口人？ 我家有 5 口人。	你们班有**多少**(个)学生？ 我们班有 16 个学生。

　　"几"和名词连用,中间通常要插入适当的量词;"多少"和名词连用,中间的量词可以用,也可以不用。例如:

When 几 is used before a noun, a measure word is needed in-between; while 多少 can be used directly before a noun, e.g.,

你有几本书?　√	你们班有多少个学生?　√
你有几书?　×	你们班有多少学生?　　√

学汉字　Learn Chinese Characters

1. 汉字基本结构(4)　Basic Structures of Chinese Characters (4)

包围结构 Enclosed Structure		例字 Example	图解 Structure Illustration
三面包围 enclosed on three sides		同	(1 / 2)
两面包围 enclosed on two sides	③右上包围 enclosed from top and right	习	(2 / 1)

The figures indicate the order to write the components.

2. 偏旁(4)　Radicals (4)

偏旁 Radical	名称 Name	例字 Example	说明 Explanation
阝	yòu'ěrpáng	都 dū capital of a country	related to "city" positioned on the right

读写练习 Reading and Writing Exercises

Practise the following characters.

练习本课汉字

班	多	少	习	语	汉	难	同	男	都
请	进	外	朋	友	名	字	哪	国	

1. 听汉字,按听到的顺序给下列汉字编号。

Listen and number the characters according to the order you hear.

2. 找到相应的拼音,读一读练习1中的汉字。

Find the corresponding *pinyin* for the characters in Exercise 1 and read them aloud.

yǒu   tóng   jìn   xí

3. 将汉字和相应的结构用线连起来。

Match each of the characters with its corresponding structure with a line.

同 进 友 习 国 老 有 图 这

4. 描写练习1中的汉字。

Trace the characters in Exercise 1.

5. 找到相应的拼音,读一读下边的汉字。

Find the corresponding *pinyin* for the following characters and read them out.

| míng | dōu | hàn | zì | bān | shǎo | nǎ |
| péng | guó | nán | yǔ | wài | qǐng | duō |

6. 在练习5的汉字中找一找下边结构的汉字。

Find characters with the following structures in Exercise 5.

7. 在练习5的汉字中找一找下边结构的汉字。

Find characters with the following structures in Exercise 5.

8. 描写练习5中的汉字。

Trace the characters in Exercise 5.

9. 朗读下边的词和短语。

Read aloud the following words and phrases.

（1）名字　　（2）学习　　（3）请进

（4）外国　　（5）男同学　　（6）汉语不难

综合练习　Comprehensive Exercises

1. 根据所给材料会话　Make a dialogue based on the information given below.

> 我叫安妮,是加拿大人。大卫是我同学,他是法国人。我们班有 22 个学生,3 个法国学生。我们都学习汉语。我们有两个汉语老师,一个是丁老师,一个是张老师。林月是我的中国朋友。他们班有 30 个人,都是中国学生。他们都学习英语。

Situation：大卫遇到安妮和林月。

Key words：这是……

叫什么名字?

哪国人?

学习什么?

几? 多少?

2. 表达练习: 介绍你的班级　Oral practice: introduce your class.

Key points：我们班有……学生(男生、女生、×国学生)。

我们班有……老师。

这是……

我们学习……

3. 听后记下所听到的学生数　Listen and write down the number of students from different countries.

	Rìběn	＿＿＿个
	Yīngguó	＿＿＿个
	Fǎguó	＿＿＿个
	Jiānádà	＿＿＿个

＿＿＿个

4. 朗读练习 1 中的这段话　Read aloud the passage in Exercise 1.

第二单元　时间　方位
Unit Two　Time and Position

课号 Lesson	题目 Title	话题 Topic	句型 Structures	语言点 Language Points
5	我的生日是 五月九号	生日 Birthday	今天五月九号星期二。 我的生日是十月十二号。 我很高兴。	1. 日期表达法 Ways of Expressing Date 2. 形容词谓语句 Sentences with Adjective Predicates
6	我们上午 八点半上课	作息 Daily Schedule	现在八点。 我晚上十点睡觉。	1. 时间表达法 Ways of Expressing Time 2. 时间词作状语 Time Words as Adverbial
7	银行在哪儿	学校 School	银行在东边。 银行在书店东边。	1. 方位词(1) Nouns of Locality (1) 2. 方位表达法 Ways of Expressing Position
8	墙上有一张 中国地图	房间 Room	房间里有一张桌子。 桌子上没有书。	1. "有"字句(2) The 有–Sentence (2) 2. 方位词(2) Nouns of Locality (2)

5 我的生日是五月九号
My birthday is on 9th, May

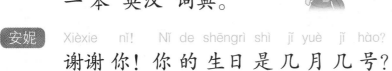

课文 Texts

(一)

大卫 Ānní, jīntiān shì nǐ de shēngrì. Zhù nǐ shēngrì kuàilè!
安妮,今天是你的生日。祝你生日快乐!

安妮 Xièxie! Zhè shì wǒ de shēngrì lǐwù ma?
谢谢!这是我的生日礼物吗?

大卫 Duì.
对。

安妮 Zhè shì shénme?
这是什么?

大卫 Yì běn Yīng-Hàn cídiǎn.
一本 英汉 词典。

安妮 Xièxie nǐ! Nǐ de shēngrì shì jǐ yuè jǐ hào?
谢谢你!你的生日是几月几号?

大卫 Wǒ de shēngrì shì shíyuè shí'èr hào.
我的生日是十月十二号。

生词 New Words

①	今天	(名)	jīntiān	today
	天	(名、量)	tiān	day
	昨天	(名)	zuótiān	yesterday
	明天	(名)	míngtiān	tomorrow
②	生日	(名)	shēngrì	birthday
③	祝	(动)	zhù	to wish
④	快乐	(形)	kuàilè	happy
⑤	谢谢	(动)	xièxie	to thank
	不谢		bú xiè	you are welcome

⑥	礼物	（名）	lǐwù	gift, present
⑦	对	（形）	duì	yes, all right, correct
⑧	月	（名）	yuè	month

January 一月 yīyuè	February 二月 èryuè	March 三月 sānyuè	April 四月 sìyuè
May 五月 wǔyuè	June 六月 liùyuè	July 七月 qīyuè	August 八月 bāyuè
September 九月 jiǔyuè	October 十月 shíyuè	November 十一月 shíyīyuè	December 十二月 shí'èryuè

| ⑨ | 号／日 | （名） | hào/rì | date in a month （号 is often used in spoken Chinese） |

Ānní de rìjì

（二）安妮的日记

Anny's diary

wǔyuè jiǔ hào　　xīngqī'èr

五月 九号　　星期二

Jīntiān shì wǒ de shēngrì. Tóngxuémen dōu zhù wǒ shēngrì kuàilè.

今天是我的生日。同学们 都祝我生日快乐。

Dàwèi sòng wǒ yì běn Yīng-Hàn cídiǎn.　Wǒ hěn gāoxìng.

大卫送我一本 英汉词典。我很高兴。

生词 New Words

| ⑩ | 星期 | （名） | xīngqī | week |

Monday	Tuesday	Wednesday	Thursday	Friday	Saturday	Sunday
星期一	星期二	星期三	星期四	星期五	星期六	星期日／天
xīngqīyī	xīngqī'èr	xīngqīsān	xīngqīsì	xīngqīwǔ	xīngqīliù	xīngqīrì/tiān

⑪	送	（动）	sòng	to give
⑫	很	（副）	hěn	very
⑬	高兴	（形）	gāoxìng	happy, glad

学说话 Learn to Speak

月、号 / 日、星期

5月						
日	一	二	三	四	五	六
	1	2	3	4	5	6
7	8	9	10	11	12	13
14	15	16	17	18	19	20
21	22	23	24	25	26	27
28	29	30	31			

Ask
今天几月几号星期几?

今天五月九号星期二。

👄 替换练习 Substitution drills.

（1）A：今天几月几号星期几?

B：＿＿＿＿＿＿＿＿。

昨天	明天

（2）A：五月九号 星期几?

B：＿＿＿＿＿＿＿＿。

八月十五号	星期几
星期二	几号
星期六	几号

（3）A：今天是八号吗?

B：＿＿＿不是 ＿＿＿，＿＿＿＿＿。

明天	星期三
星期六	十八号
二十五号	星期一

语言点注释 Notes on Language Points

1 日期表达法 Ways of Expressing Date

S.	P.		
	①	②	③
今天	五月	九号	星期二。
昨天	十月	八号。	
明天			星期几?

日期表达遵循由大到小的顺序,即先说"月",然后说"号/日",最后说"星期"。"号"和"日",口语中多用"号"。例如:

In Chinese, a date is expressed in the sequence of year, month, date, and weekday. 号 is usually used in spoken Chinese, e.g.,

十月八号 ✓	五月九号星期二	✓
八号十月 ✕	星期二五月九号	✕

这是名词性词语作谓语的句子。肯定形式中主语和谓语之间一般不用"是"。例如:

This is a sentence with nominal predicate. 是 is often omitted in the affirmative form, e.g.,

今天四月六号星期三。

否定形式是在谓语前加"不是",成为"是"字句。例如:

Its negative form is to add 不是 before the predicate, forming the 是-sentence, e.g.,

今天不是六号。 ✓
今天不六号。 ✕

2 形容词谓语句　Sentences with Adjective Predicates

S.	P.	
		Adj.
你		好!
我	很	高兴。
汉语	不	难。

形容词谓语前一般不用"是"。例如:

In such sentences, the subject and the adjective predicate are not linked by the verb 是, e.g.,

我很高兴。

肯定形式的谓语形容词前常用副词"很"。

The adverb 很 is often put before the affirmative form of the adjective predicate.

"很"不表示明显的程度,要轻读。不用"很",则有对比的意思。例如:

很 is not stressed here and does not express degree. Without 很, the sentence has an implication of comparison, e.g.,

他高兴,我不高兴。

否定形式是在谓语形容词前加副词"不"。例如:

Its negative form is formed by adding 不 before the adjective predicate, e.g.,

我不高兴。

学汉字 Learn Chinese Characters

偏旁(5) Radicals (5)

偏旁 Radical	名称 Name	例字 Example	说明 Explanation
日/曰	rìzìpáng	昨 明 星	related to "sun, time"
月	yuèzìpáng	期	when positioned on the right, related to "time, light"
礻	shìzìpáng	祝 礼	related to "pray, bless"

读写练习 **Reading and Writing Exercises**

Practise the following characters.

练习本课汉字

今	昨	明	祝	快	乐	谢	礼	物	对
号	星	期	送	很	高	兴			

1. 找一找,哪些字 A 组有,B 组没有? 哪些字 B 组有,A 组没有?
   Find out which character in Column A is missing in Column B and vice versa.

		A					B		
乐	期	高	明	对	昨	兴	快	号	期
号	物	礼	快	送	乐	对	祝	星	礼
昨	兴	今	星	祝	谢	今	明	送	高

⏰ 限时 5 分钟　**Time limit: 5 mins**

2. 找一找左边的汉字在右边的句子里出现了几次,把次数记下来。
   Count how many times each character on the left appear in the sentences on the right.

明天是弟弟的生日。

星期六不是八号。

姐姐送他一本英汉词典。

今天我很高兴。

不谢!

这是我的礼物吗?

对,今天星期六。

你妈妈的生日是几月几号?

昨天星期四。

祝你生日快乐!

3. 找到相应的拼音,读一读练习 2 中的汉字。

Find the corresponding *pinyin* for characters in Exercise 2 and read them out.

xīng   jīn   duì   xiè   wù   lè   zhù   sòng   hěn

lǐ   xìng   hào   zuó   gāo   qī   míng   kuài

4. 在练习 2 的汉字中找一找下边结构的汉字。

Find characters with the following structures in Exercise 2.

5. 在练习 2 的汉字中找一找带这几个偏旁的汉字。

Find characters with the following radicals in Exercise 2.

日/日   月   礻

6. 念一念这些带相同偏旁的汉字。

Read aloud these characters with the same radicals.

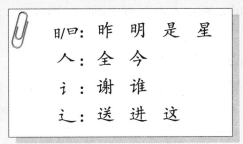

日/日：昨 明 是 星
人：全 今
讠：谢 谁
辶：送 进 这

7. 描写练习 2 中的汉字。

Trace the characters in Exercise 2.

8. 朗读下边的词和短语。

Read aloud the following words and phrases.

(1) 礼物   (2) 高兴   (3) 昨天

(4) 不谢   (5) 星期四   (6) 生日快乐

综合练习 Comprehensive Exercises

1. 看图完成练习 Look at the pictures and complete the exercises.

(1) 看图听话,听后指出相应的图

Look at the pictures and listen to the recording. Find out the picture which is being talked about.

a.	**2月**
	日 一 二 三 四 五 六
	8

b.	**11月**
	日 一 二 三 四 五 六
	15

c.	**4月**
	日 一 二 三 四 五 六
	9

d.	**8月**
	日 一 二 三 四 五 六
	10

e.	**6月**
	日 一 二 三 四 五 六
	22

f.	**3月**
	日 一 二 三 四 五 六
	6

（2）看图说话：今天几月几号星期几？

Look and say: what's the date today and what day is today?

2. 全班活动：调查生日   Class activities: when is your birthday?

（1）询问班里同学的生日：

Ask your classmates about their birthdays. Practise the following sentence patterns:

A

E.g., 你的生日是几月几号？
　　　我的生日是五月九号。

（2）记下班里同学的生日：

Record their birthdays.

B

姓名 Name	生日
安妮	5月9号
	＿＿＿月＿＿＿号
	＿＿＿月＿＿＿号
	＿＿＿月＿＿＿号
	＿＿＿月＿＿＿号
	＿＿＿月＿＿＿号

（3）按月份顺序报告班里同学的生日。

Report your classmates' birthdays in the order of months.

C

E.g., 五月：安妮的生日是五月九号。

十月：大卫的生日是十月十二号。

3. 两人活动　Pair work.

在今年的年历上找到下列节日。用下边的结构问问题，然后回答：

Find the following festivals in a Chinese calendar. Use the following structures to ask questions and then answer them.

元旦(Yuándàn)几月几号？元旦星期几？

并把这些节日是星期几填入下表。

And fill in the days of these festivals in the following table.

节日 Festival		月、号	星期
元旦（Yuándàn）	New Year's Day	一月一号	
妇女节（Fùnǚ Jié）	Women's Day	三月八号	
劳动节（Láodòng Jié）	Labor Day	五月一号	
青年节（Qīngnián Jié）	Youth Day	五月四号	
儿童节（Értóng Jié）	Children's Day	六月一号	
教师节（Jiàoshī Jié）	Teacher's Day	九月十号	
国庆节（Guóqìng Jié）	National Day	十月一号	

4. 朗读读写练习 2 中的句子　Read the sentences in Exercise 2 of Reading and Writing Exercises.

6 我们上午八点半上课
We begin class at 8:30 am

（一）

路人 lùrén / passenger
Qǐng wèn, xiànzài jǐ diǎn?
请 问，现在 几点？

安妮
Bā diǎn líng wǔ fēn.
八点 零五分。

路人
Xièxie!
谢谢！

安妮
Búyòng xiè!
不用 谢！

生词 New Words

①	问	（动）	wèn	to ask
②	现在	（名）	xiànzài	now
③	点	（量）	diǎn	o'clock
④	零	（数）	líng	zero
⑤	分	（量）	fēn	minute
⑥	不用	（副）	búyòng	need not
	用	（动）	yòng	to use

（二）

林月
Ānní, nǐ zǎoshang jǐ diǎn qǐ chuáng?
安妮，你 早上几点起 床？

安妮
Qī diǎn yí kè.
七点 一刻。

林月
Wǎnshang jǐ diǎn shuì jiào?
晚上 几点睡觉？

安妮 Shí diǎn.
十点。

林月 Míngtiān nǐ yǒu kè ma?
明天 你有课吗?

安妮 Yǒu.
有。

林月 Nǐmen jǐ diǎn shàng kè?
你们 几点 上 课?

安妮 Wǒmen shàngwǔ bā diǎn bàn shàng kè.
我们 上午 八点半 上课。

林月 Shénme shíhou xià kè?
什么 时候 下课?

安妮 Zhōngwǔ shí'èr diǎn bàn xià kè.
中午 十二点半下课。

林月 Nǐmen xiàwǔ yǒu kè ma?
你们 下午有课吗?

安妮 Yǒu. Wǒmen xiàwǔ liǎng diǎn shàng kè, chà shí fēn sì diǎn xià kè.
有。我们 下午 两 点 上课, 差 十分 四点 下课。

林月 Nǐ nǎ tiān méiyǒu kè?
你 哪天 没有课?

安妮 Wǒ xīngqīwǔ méiyǒu kè.
我 星期五 没有课。

生词 New Words

⑦	早上	(名)	zǎoshang	early morning
⑧	起床		qǐ chuáng	to get up
	床	(名)	chuáng	bed
⑨	刻	(量)	kè	quarter
⑩	晚上	(名)	wǎnshang	evening
⑪	睡觉		shuì jiào	to go to bed, to sleep
	睡	(动)	shuì	to go to bed, to sleep
⑫	课	(名)	kè	lesson, class

⑬	上课		shàng kè	to give a lesson, to attend class
	上	(动)	shàng	to start (work or study)
⑭	上午	(名)	shàngwǔ	morning
⑮	时候	(名)	shíhou	time
⑯	下课		xià kè	class is over
	下	(动)	xià	to finish (work or study)
⑰	中午	(名)	zhōngwǔ	noon
⑱	半	(数)	bàn	half
⑲	下午	(名)	xiàwǔ	afternoon
⑳	差	(动)	chà	less than

学说话 Learn to Speak

> 1. 点、分、刻
> 2. 时候 + V.

1 点、分、刻

现在八点。

> **Ask**
> 几点?

 八点零五分

 八点十分

 八点一刻

 八点二十五(分)

八点半

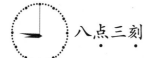 八点三刻

  差五分九点

👄 **完成对话** Complete the dialogue.

A:现在几点?

B:＿＿＿＿＿＿＿＿＿＿。

1:05	2:40	3:20
4:35	5:30	6:55
7:15	8:25	10:45
11:50	12:10	

2 时候 +V.

Ask
几点睡觉?
什么时候睡觉?

我[晚上十点]睡觉。
V.

👄 **完成对话** Complete the dialogue.

A:你几点(什么时候)＿＿＿＿＿＿?

B:＿＿＿＿＿＿＿＿＿＿。

| 起床 | 睡觉 |
| 上课 | 下课 |

语言点注释　Notes on Language Points

1 时间表达法　Ways of Expressing Time

S.	P.
	① ②
现在	八点 十分。
现在	九点 一刻。
现在	十点 半。

时间表达遵循由大到小的顺序,即先说"点",然后说"分、刻、半"。例如:

In Chinese, time is expressed in the sequence of hour, minute, quarter and half, e.g.,

八点 十分 ✓

十分 八点 ✗

这是名词性词语作谓语的句子。其肯定形式,主语和谓语之间可以不用"是"。例如:

This is a sentence with nominal predicate. 是 is often omitted in this case, e.g.,

现在七点二十。

2 时间词作状语　Time Words as Adverbial

时间词可以在谓语动词前作状语。

When functioning as an adverbial, time words can be put at the beginning of the verb, e.g.,

S.	P.	
	[Adverbial]	V.
我	晚上十点	睡觉。
安妮	早上七点	起床。
你们	星期五	有课吗?

强调时间时,时间词状语也可以放在全句前。例如:

To emphasize the time, time words can be put at the beginning of the sentence, e.g.,

晚上我十点睡觉。
星期一上午我有课。

学汉字　Learn Chinese Characters

偏旁(6)　Radicals (6)

偏旁 Radical	名称 Name	例字 Example	说明 Explanation
目	mùzìpáng	睡	related to "eyes"
刂	lìdāopáng	刻 to carve	related to "knife"
灬	huǒzìdǐ	照 to shine　热 hot 点	related to "fire"

读写练习 Reading and Writing Exercises

Practise the following characters.

练习本课汉字

问	现	在	点	零	分	用	早	起	床
刻	晚	睡	觉	课	午	时	候	半	差

1. 找一找,哪些字 A 组有,B 组没有? 哪些字 B 组有,A 组没有?
   Find out which character in Column A is missing in Column B and vice versa.

		A					B		
现	时	晚	刻	在	课	零	点	早	床
课	睡	起	点	分	晚	午	现	分	候
床	用	早	半	觉	时	起	在	差	问

 限时 5 分钟　Time limit: 5 mins

2. 找一找左边的字在右边的句子里出现了几次,把次数记下来。
   Count how many times each character on the left appear in the sentences on the right.

现在九点零三分。

我晚上十点三刻睡觉。

妹妹下午差十分四点下课。

请问,现在几点?

不用谢!

你早上几点起床?

爸爸什么时候睡觉?

他们星期五没有课。

我上午八点半上课。

3. 找到相应的拼音,读一读练习2中的汉字。

Find the corresponding *pinyin* for the characters in Exercise 2 and read them out.

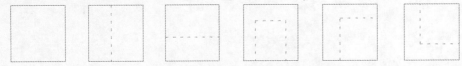

shí	wǎn	jiào	wǔ	bàn	zǎo	kè	xiàn
fēn	zài	diǎn	chuáng	shuì	chà	hòu	wèn
qǐ	líng	yòng					

4. 在练习2的汉字中找一找下边结构的汉字。

Find characters with the following structures in Exercise 2.

5. 把A组和B组有相同部件且结构也相同的汉字用线连起来。

Find characters with the same components and structures in Columns A and B, and join them with a line.

A　　晚　课　候　现　觉　早　点

B　　做　星　班　昨　照　谢　学

6. 在练习2的汉字中找一找带这几个偏旁的汉字。

Find characters with the following radicals in Exercise 2.

日　　　　刂　　　灬

7. 念一念这些带相同部件的汉字。

Read aloud these characters with the same components.

寸：时　对
见：觉　现
门：问　们
乍：昨　作

8. 描写练习2中的汉字。

Trace the characters in Exercise 2.

9. 朗读下边的词和短语。

Read aloud the following words and phrases.

（1）现在　　　（2）睡觉　　　（3）晚上

（4）下课　　　（5）时候　　　（6）差五分九点

综合练习 Comprehensive Exercises

1. **看图完成练习** Look at the pictures and complete the exercises.

（1）看图听话，听后指出相应的图

Look at the pictures and listen to the recording, then find out the corresponding picture.

a. b.  c. d.  e.

（2）看图说话：现在几点？

Look and say: what time is it?

2. **两人活动：调查作息时间** Pair work: everyday schedule

（1）询问一个同学的作息时间。

Ask your classmate about his/her schedule.

> A
>
> E.g., 你几点起床？我早上七点起床。
>
> 你什么时候睡觉？我晚上十点睡觉。

（2）记下该同学的作息时间。

Take notes of his/her schedules.

B

作息时间表 zuòxī shíjiān biǎo Daily Schedule		
早上		起床
上午		上课
中午		下课
下午		上课
		下课
晚上		睡觉

（3）用下边的结构报告该同学的作息时间。

Use the following sentence patterns to report his/her schedule.

C

他（她）_____ 起床，_____ 睡觉，_____ 上课，

_____ 下课。

3. 说话练习：说说世界时间   Oral practice: talke about the time zones

（1）看下表，说出表中世界各地的时间。用上下边的结构：

Look at the chart and tell the time in different cities. Use the following sentence patterns.

E.g., 现在北京上午十点零八分。

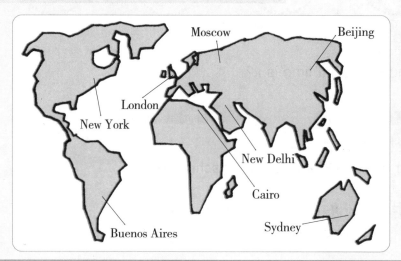

[China] Beijing 北京 Běijīng	9 月 23 日 10:08
[U.K.] London 伦敦 Lúndūn	9 月 23 日 2:08
[Egypt] Cairo 开罗 Kāiluó	9 月 23 日 4:08
[Russia] Moscow 莫斯科 Mòsīkē	9 月 23 日 5:08
[India] New Delhi 新德里 Xīndélǐ	9 月 23 日 7:38
[Australia] Sydney 悉尼 Xīní	9 月 23 日 12:08
[U.S.A] New York 纽约 Niǔyuē	9 月 22 日 21:08
[Argentina] Buenos Aires 布宜诺斯艾利斯 Bùyínuòsī'àilìsī	9 月 22 日 23:08

（2）说说你们国家现在的时间。

Tell what time it is in your country now.

4. 朗读读写练习 2 中的句子   Read the sentences in Exercise 2 of Reading and Writing Exercises.

7 银行在哪儿
Where's the bank

课文 Texts

（一）

路人 lùrén passenger
Qǐng wèn, yínháng zài nǎr?
请问，银行在哪儿？

林月
Yínháng zài dōngbian.
银行在东边。

路人
Zhè shì shénme dìfang? Nǎ zuò lóu shì yínháng?
这是什么地方？哪座楼是银行？

林月
Zhè shì shūdiàn, dōngbian de nà zuò lóu shì yínháng.
这是书店，东边的那座楼是银行。

路人
Xièxie!
谢谢！

林月
Bú kèqi!
不客气！

生词 New Words

❶	银行	（名）	yínháng	bank
❷	在	（动）	zài	to be at (on, in)
❸	哪儿	（代）	nǎr	where
❹	东边	（名）	dōngbian	east, east side
	东	（名）	dōng	east
	边	（名）	biān	side
	西边	（名）	xībian	west, west side
	西	（名）	xī	west
❺	地方	（名）	dìfang	place
❻	座	（量）	zuò	(a measure word)
❼	楼	（名）	lóu	building

⑧	书店	（名）	shūdiàn	bookstore
	店	（名）	diàn	shop
⑨	那	（代）	nà	that
⑩	不客气		bú kèqi	you're welcome
	客气	（形）	kèqi	polite

（二）

Zhè shì wǒmen xuéxiào. Zhè shì shūdiàn,
这 是 我们 学校。这 是 书店，
nà shì yínháng. Yínháng zài shūdiàn dōngbian.
那 是 银行。 银行 在 书店 东边。
Sùshè lóu dōu zài běibian. Yī hào lóu, èr hào
宿舍 楼 都 在 北边。1 号 楼、2 号
lóu zài qiánbian, sān hào lóu、sì hào lóu zài
楼 在 前边，3 号 楼、4 号 楼 在
hòubian. Nà zuò lóu shì sì hào lóu, wǒ de
后边。那 座 楼 是 4 号 楼，我 的
sùshè zài sì hào lóu.
宿舍 在 4 号 楼。

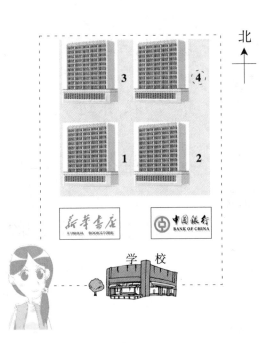

生词 New Words

⑪	学校	（名）	xuéxiào	school
⑫	宿舍	（名）	sùshè	dormitory
⑬	北边	（名）	běibian	north, north side
	北	（名）	běi	north
	南边	（名）	nánbian	south, south side
	南	（名）	nán	south
⑭	号	（量）	hào	No.
⑮	前边	（名）	qiánbian	front
	前	（名）	qián	front
⑯	后边	（名）	hòubian	back
	后	（名）	hòu	back

读写练习　Reading and Writing Exercises

Practise the following characters.

练习本课汉字

方	银	行	儿	东	边	西	店	那	座
楼	客	气	校	宿	舍	南	北	前	后

1. 找一找，哪些字 A 组有，B 组没有？哪些字 B 组有，A 组没有？
   Find out which character in Column A is missing in Column B and vice versa.

	A					B			
北	后	楼	店	舍	边	行	北	那	校
西	边	座	前	客	东	店	后	西	舍
那	银	宿	行	东	客	南	座	宿	楼

⏰ 限时 5 分钟　Time limit: 5 mins

2. 找一找左边的字在右边的句子里出现了几次，把次数记下来。
   Count how many times each character on the left appear in the sentences on the right.

这是我们学校。

安妮在我后边。

那是什么地方？

东边的那座楼是书店。

不客气！

1 号楼在西边。

你的宿舍在哪儿？

书店在银行南边。

银行不在学校北边。

1 号楼在 2 号楼前边吗？

3. 找到相应的拼音,读一读练习 2 中的汉字。

Find the corresponding *pinyin* for the characters in Exercise 2 and read them out.

shè	nán	xiào	nà	qì	ér	lóu	háng	běi

xī	sù	diàn	kè	biān	yín	dōng	hòu	qián

zuò	fāng

4. 在练习 2 的汉字中找一找下边结构的汉字。

Find characters with the following structures in Exercise 2.

5. 把 A 组和 B 组有相同部件且结构也相同的汉字用线连起来。

Find characters with the same components and structures in Columns A and B, and join them with a line.

A　行　座　边　客　舍　那

B　今　都　家　很　这　店

6. 在练习 2 的汉字中找一找带这两个偏旁的汉字。

Find characters with the following radicals in Exercise 2.

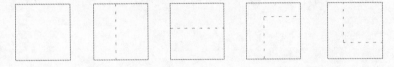

7. 念一念这些带相同偏旁的汉字。

Read aloud these characters with the same radicals.

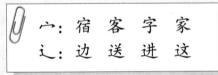

宀：宿　客　字　家
辶：边　送　进　这

8. 念一念这些带相同部件的汉字。

Read aloud these characters with the same components.

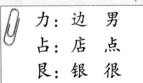

力：边　男
占：店　点
艮：银　很

9. 描写练习 2 中的汉字。

Trace the characters in Exercise 2.

10. 朗读下边的词和短语。

Read aloud the following words and phrases.

（1）银行　（2）宿舍　（3）学校　（4）客气　（5）前边　（6）那座楼

综合练习　**Comprehensive Exercises**

1. 看图说话：……在……　Look and say：……在……

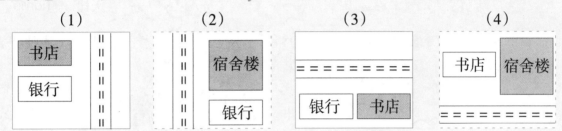

（1）　　　　　（2）　　　　　（3）　　　　　（4）

2. 听后找到下列地方的正确位置，并填在图上　Listen and locate the correct place of the following places and mark them on the map.

书店　银行　2号楼　6号楼

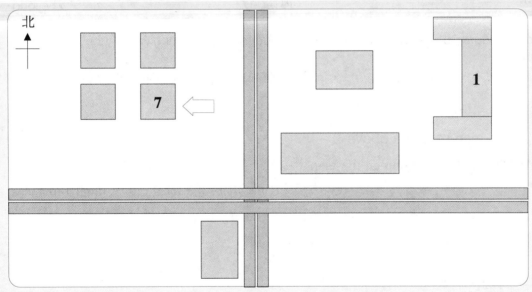

3. 看上图,组织会话　Look at the map above and make dialogues.

Topic: 问路

Key words：请问　谢谢　不客气　哪儿　……在……

4. 表达练习：介绍你们学校　Oral practice: introduce your school.

Key words：学校　书店　银行　宿舍楼　……在……

5. 全班活动   Class activity

| Xīzàng | Xīnjiāng | Qīnghǎi | Gānsù | Níngxià | Shǎnxī | Shānxī | Héběi | Nèiměnggǔ |

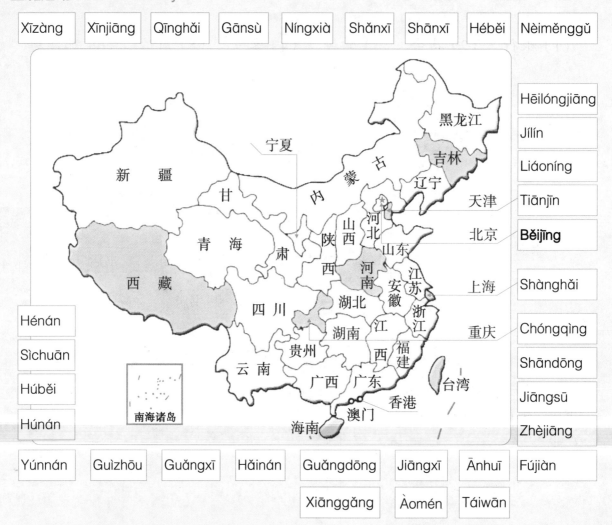

Hēilóngjiāng

Jílín

Liáoníng

Tiānjīn

Běijīng

Shànghǎi

Chóngqìng

Shāndōng

Jiāngsū

Zhèjiāng

Hénán

Sìchuān

Húběi

Húnán

| Yúnnán | Guìzhōu | Guǎngxī | Hǎinán | Guǎngdōng | Jiāngxī | Ānhuī | Fújiàn |

| Xiānggǎng | Àomén | Táiwān |

看上边的中国地图

Look at the map of China above

（1）找到北京。Find Beijing on the map.

（2）说说其他 省(shěng province) 的方位。Talk about the locations of other provinces.

　　　or 直辖市(zhíxiáshì municipality directly under the central government)

　　　or 自治区(zìzhìqū autonomous region)

　　　or 特别行政区(tèbié xíngzhèngqū special administrative region)

用上下边的结构：

Use the following sentence patterns:

> A：……在哪儿?
>
> B：……在……东边(西边、南边、北边)。

6. 朗读读写练习 2 中的句子   Read the sentences in Exercise 2 of Reading and Writing Exercises.

8 墙上有一张中国地图
There is a map of China on the wall

课文 Texts

(一)

Zhè shì Shānběn de fángjiān. Fángjiān li yǒu yì zhāng

这是山本的房间。房间里有一张

chuáng、yì zhāng zhuōzi、 yì bǎ yǐzi、 yí ge shūjià

床、一张 桌子、一把 椅子、一个书架

hé yí ge guìzi. Qiáng shang yǒu yì zhāng Zhōngguó

和一个柜子。墙 上 有一张 中国

dìtú. Zhuōzi shang yǒu yì běn shū、yí ge běnzi hé

地图。桌子 上 有一本书、一个本子和

yì zhī bǐ.

一支笔。

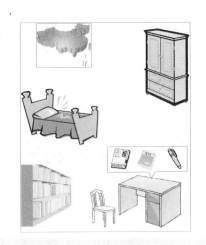

生词 New Words

❶	房间	(名)	fángjiān	room
❷	里	(名)	lǐ	inside
	里边	(名)	lǐbian	inside
	外	(名)	wài	outside
	外边	(名)	wàibian	outside
❸	桌子	(名)	zhuōzi	table, desk
❹	把	(量)	bǎ	(a measure word)
❺	椅子	(名)	yǐzi	chair
❻	书架	(名)	shūjià	bookshelf
❼	柜子	(名)	guìzi	wardrobe
❽	墙	(名)	qiáng	wall
❾	上	(名)	shàng	above, over, on
	上边	(名)	shàngbian	above, upper part

（二）

汉语书

词典

英语书

Zhè shì wǒ hé Dàwèi de fángjiān. Fángjiān li yǒu chuáng、zhuōzi、 yǐzi、 shūjià
这是我和大卫的房间。房间里有床、桌子、椅子、书架

hé guìzi. Wǒ de chuáng zài zuǒbian, Dàwèi de chuáng zài yòubian. Wǒmen de
和柜子。我的床在左边，大卫的床在右边。我们的

zhuōzi zài chuáng pángbiān. Wǒ de zhuōzi shang yǒu shū、 běnzi hé bǐ. Dàwèi
桌子在床旁边。我的桌子上有书、本子和笔。大卫

de zhuōzi shang méiyǒu shū. Dàwèi de shū ne? Dōu zài shūjià shang. Hànyǔ shū zài
的桌子上没有书。大卫的书呢？都在书架上。汉语书在

shàngbian, Yīngyǔ shū zài xiàbian, cídiǎn zài zhōngjiān.
上边，英语书在下边，词典在中间。

生词 New Words

⑩	左边	（名）	zuǒbian	left side
	左	（名）	zuǒ	left
⑪	右边	（名）	yòubian	right side
	右	（名）	yòu	right
⑫	旁边	（名）	pángbiān	side
	旁	（名）	páng	side
⑬	呢	（助）	ne	(a modal particle)
⑭	下边	（名）	xiàbian	below, lower part
	下	（名）	xià	below
⑮	中间	（名）	zhōngjiān	between, among

学说话　Learn to Speak

> place/direction NP + 有 + sb./sth.

房间里有一张桌子。

桌子上没有书。

👄 **完成对话　Complete the dialogue.**

A: ＿＿＿＿＿＿有＿＿＿＿＿＿吗?

B: ＿＿＿＿＿＿＿＿＿＿＿＿。

房间里	床
房间里	柜子
桌子上	笔
书架上	词典
墙上	地图
学校里边	书店
宿舍楼旁边	银行

语言点注释　Notes on Language Points

1 "有"字句(2)　The 有–Sentence (2)

"有"字句可以表示"存在"。例如:

The 有–sentence can be used to indicate existence, e.g.,

方位短语 Place/Direction NP	有	存在的事物 Person/Thing Existing
房间里	有	一张桌子。
桌子上	有	书、本子和笔。

否定式用"没有",这时宾语不能带数量定语。例如：

The negative form of 有 is 没有. In such a case, no numeral-classifier compound acting as the attributive can be used to modify the object, e.g.,

> 桌子上没有书。　√
> 桌子上没有一本书。×

2 方位词（2）　Nouns of Locality (2)

本课学习的方位词有：

The nouns of locality we learn in this unit are:

	左	右	上	下	里	外
一边	左边	右边	上边	下边	里边	外边

方位词作主语。例如：

The nouns of locality act as the subject, e.g.,

> 外边有一把椅子。
> 右边有一张床。

作主语的方位词或方位短语前不用"在"。例如：

在 cannot be used before the nouns of locality or locality phrases which function as the subject, e.g.,

> 外边有一把椅子。　√　　房间里有一张桌子。　√
> 在外边有一把椅子。×　　在房间里有一张桌子。　×

"里边"和"上边"的用法：

The usages of 里边 and 上边：

在名词后作中心语时,常用"里""上"。例如：

里 or 上 is often used when it functions as the headword preceded by a noun, e.g.,

> 房间里　　桌子上　　　墙上

表示一般处所的名词后边要用"里";国名和地名后边不能用"里"。例如:

里 can be used after a noun indicating a common place, but it cannot be put after the name of a country or a place, e.g.,

房间里 √   中国里 ×   北京里 ×

学汉字 **Learn Chinese Characters**

1. 形声字 Pictophonetic Characters

在由两个部分组成的一些汉字中,其中一个部分可以表示近似的读音,是声旁;另一个部分可以表示汉字的大概意思或意类,是形旁。这种字叫做"形声字"。

A significant amount of characters are composed of a pictographic element indicating meaning of the character, and a phonetic one indicating pronunciation. This kind of characters are called pictophonetic characters.

形声字的声旁和形旁可以统称为偏旁。

Both the pictographic element and phonetic element can be called radicals.

例字 Example	形旁 Pictographic Element		声旁 Phonetic Element	
妈 mā	女	female	马	mǎ
们 men	亻	person	门	mén
期 qī	月	time	其	qí
请 qǐng	讠	speech	青	qīng
爸 bà	父	father	巴	bā
客 kè	宀	roof	各	gè
架 jià	木	wood	加	jiā
问 wèn	口	mouth	门	mén
房 fáng	户	door	方	fāng

2. 偏旁（8） Radicals (8)

偏旁 Radical	名称 Name	例字 Example	说明 Explanation
木/木	mùzìpáng	楼 校 桌 架	related to "tree"
土	títǔpáng	地　墙	related to "earth"
户	hùzìtóu	房	related to "door"

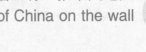
读写练习　Reading and Writing Exercises

Practise the following characters.

练习本课汉字

房　间　里　桌　把　椅　架　柜　墙　左
右　旁　呢

1. 找一找,哪些字 A 组有,B 组没有? 哪些字 B 组有,A 组没有?
   Find out which character in Column A is missing in Column B and vice versa.

A				B			
房	椅	右	呢	架	柜	旁	间
把	间	里	左	左	房	把	右
柜	墙	桌	架	里	呢	椅	桌

 限时 5 分钟　Time limit: 5 mins

2. 找一找左边的字在右边的句子里出现了几次,把次数记下来。
   Count how many times each character on the left appear in the sentences on the right.

我的桌子在床旁边。

桌子上有一支笔。

他的房间在几号楼?

墙上有一张我们全班同学的照片。

这个房间里没有柜子。

你的笔呢?

学校外边有一个银行。

马丁在我左边,大卫在我右边。

书架旁边有一把椅子。

75

3. 找到相应的拼音, 读一读练习 2 中的汉字。

Find the corresponding *pinyin* for the characters in Exercise 2 and read them out.

páng   jià   jiān   ne   fáng   zuǒ   yǐ

bǎ   yòu   guì   lǐ   qiáng   zhuō

4. 在练习 2 的汉字中找一找下边结构的汉字。

Find characters with the following structures in Exercise 2.

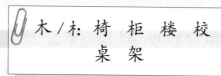

5. 在练习 2 的汉字中找一找带这几个偏旁的汉字。

Find characters with the following radicals in Exercise 2.

木 / 木   土   户

6. 念一念这些带相同偏旁的汉字。

Read aloud these characters with the same radicals.

木 / 木: 椅 柜 楼 校
桌 架

7. 描写练习 2 中的汉字。

Trace the characters in Exercise 2.

8. 给下边的汉字注音。

Transcribe the following characters with *pinyin*.

（1）门（　　）— 们（　　）— 问（　　）

（2）马（　　）— 吗（　　）— 妈（　　）

（3）巴（ bā ）— 爸（　　）— 把（　　）

（4）方（　　）— 房（　　）— 旁（　　）

9. 朗读下边的词和短语。

Read aloud the following words and phrases.

（1）椅子   （2）书架   （3）左边

（4）旁边   （5）墙上   （6）房间里

综合练习　Exercises

1. 看图说话：……有……　Look and say: ……有……

a.

b.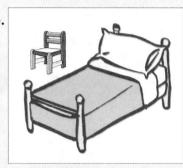

c.

d.

e.

桌子

f.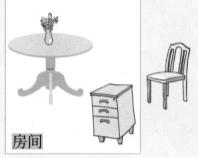

房间

2. 说话练习：根据教室里的实际座位，说说谁在你的前后左右。用上下边的结构　Oral Practise: Please tell who is sitting around you with the following sentence patterns.

……在我前边（后边、左边、右边）。我在……和……中间。

3. 表达练习：介绍你的房间　Oral practice: describe your room.

　　Key words：房间　床　桌子　椅子　柜子　书架　墙　……有……

4. 表达练习：描述教室　Oral practice: describe the classroom.

　　Key points：

　　教室里有多少张桌子？多少把椅子？

　　教室的墙上有什么？（黑板 hēibǎn blackboard、钟 zhōng clock、地图、照片……）

　　教室里有电脑（diànnǎo computer）吗？

　　你的桌子上有什么？（书、词典、本子、笔）

5. 朗读读写练习2中的句子　Read the sentences in Exercise 2 of Reading and Writing Exercises.

第三单元　日常需要
Unit Three　Daily Necessities

课号 Lesson	题目 Title	话题 Topic	句型 Structures	语言点 Language Points
9	你吃米饭 还是饺子	吃饭 Eating & Drinking	你吃米饭还是饺子? 你喝不喝啤酒?	1. 用"还是"的选择疑问句 The Alternative Question with 还是 2. 正反疑问句 The Affirmative-Negative Question
10	苹果 多少钱一斤	购物 Shopping	苹果两块五一斤。 那种呢?	1. 钱的读法 Ways of Reading Money 2. 用"呢"的省略问句 Elliptical Question with 呢
11	我 去银行换钱	办事 Handling Affairs	我去银行换钱。 我换二百美元的人 民币。	1. 连动句(1) The Sentence with Verbal Structure in Series (1) 2. 称数法(2):百以上 Counting Numbers above 100
12	我们骑自行车 去颐和园	交通方式 Means of Transportation	我骑自行车去学校。 咱们怎么去?	连动句(2) The Sentence with Verbal Structure in Series (2)

9

你吃米饭还是饺子
Would you like to have rice or dumplings

（一）

林月　Dàwèi, nǐ hǎo!
大卫,你好!

大卫　Lín Yuè, qǐng jìn! Qǐng zuò! Nǐ hē shénme? Chá háishi kāfēi?
林月,请进! 请坐! 你喝什么? 茶还是咖啡?

林月　Wǒ hē chá.
我喝茶。

大卫　Nǐ chī miànbāo ma?
你吃面包吗?

林月　Bù chī.
不吃。

大卫　Qǐng hē chá!
请喝茶!

林月　Xièxie!
谢谢!

生词 New Words

❶	坐	（动）	zuò	to sit
❷	喝	（动）	hē	to drink
❸	茶	（名）	chá	tea
❹	还是	（连）	háishi	or (used in questions)
❺	咖啡	（名）	kāfēi	coffee
❻	吃	（动）	chī	to eat
❼	面包	（名）	miànbāo	bread

（二）

fúwùyuán
服务员 Huānyíng! Qǐng wèn jǐ wèi?
waiter 欢迎！请问几位？

李小明 Liǎng wèi.
两 位。

服务员 Qǐng zhè biān zuò. Liǎng wèi chī diǎnr shénme?
请 这 边 坐。两 位 吃 点儿 什么？

李小明 Zhèr yǒu shénme?
这儿 有 什么？

服务员 Yǒu mǐfàn、jiǎozi、bāozi.
有 米饭、饺子、包子。

李小明 Yǒu méi yǒu miàntiáor?
有 没 有 面条？

服务员 Méiyǒu.
没有。

李小明 Zánmen chī mǐfàn háishi jiǎozi?
咱们 吃 米饭 还是 饺子？

林月 Chī jiǎozi ba.
吃 饺子 吧。

李小明 Xíng. Nǐ hē bù hē píjiǔ?
行。你 喝 不 喝 啤酒？

林月 Bù hē. Wǒ hē chá.
不 喝。我 喝 茶。

李小明 Jiǎozi、píjiǔ hé chá. Xièxie!
饺子、啤酒 和 茶。谢谢！

服务员 Hǎo.
好。

生词 New Words

⑧	欢迎	(动)	huānyíng	to welcome
⑨	位	(量)	wèi	(a measure word)
⑩	(一)点儿	(数量)	(yì) diǎnr	a bit
⑪	这儿	(代)	zhèr	here
⑫	米饭	(名)	mǐfàn	cooked rice
⑬	饺子	(名)	jiǎozi	dumpling
⑭	包子	(名)	bāozi	steamed stuffed bun
⑮	面条	(名)	miàntiáor	noodles
⑯	咱们	(代)	zánmen	we (including both the speaker and the listener(s))
⑰	吧	(助)	ba	(a modal particle, indicating a suggestion, a request or a mild command)
⑱	行	(动)	xíng	to be all right, will do
	不行		bù xíng	will not do, to be impossible
⑲	啤酒	(名)	píjiǔ	beer
	酒	(名)	jiǔ	alcoholic drink, wine

学说话 Learn to Speak

1. A 还是 B？
2. X 不 / 没 X？

1 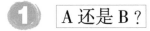 A 还是 B？

Answer
我吃米饭。(Choice A)
or
我吃饺子。(Choice B)

Choice A+还是+Choice B
你吃米饭还是饺子？

用"还是"提问　Make questions with 还是.

(1)

你吃＿＿＿＿＿＿？

(2)

你＿＿＿＿＿＿？

(3)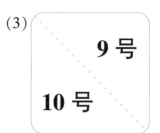

9 号

10 号

今天＿＿＿＿＿＿？

(4)

这是＿＿＿＿＿＿笔？

(5)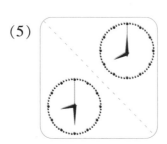

你们＿＿＿＿＿上课？

(6)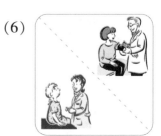

＿＿＿＿＿大夫？

2 　X 不 / 没 X ?

Answer
我喝啤酒。(affirmative)
　or
我不喝啤酒。(negative)

Affirmative form + negative form?

你喝不喝啤酒？

用正反疑问式提问　Make affirmative-negative questions.

（1）你＿＿＿＿＿？（吃）　（2）你爸爸＿＿＿＿＿？（是）　（3）桌子上＿＿＿＿＿？（有）

（4）今天＿＿＿＿＿＿＿＿＿？（月、号、星期）　　（5）他＿＿＿＿＿＿＿＿？（高兴）

语言点注释　Notes on Language Points

1 用"还是"的选择疑问句　The Alternative Questions with 还是

这种疑问句用"还是"并列几种情况，要求答话人选择其中之一作为答案。例如：

This type of questions have several alternatives connected by the conjunction 还是 for the answerer to choose from, e.g.,

	Question	Answer
Subject	你吃还是他吃？	我吃。 他吃。
Object	你吃饺子还是包子？	我吃饺子。 我吃包子。
Predicate	今天星期二还是星期三？	今天星期二。 今天星期三。
Attributive	他是法国人还是加拿大人？	他是法国人。 他是加拿大人。
Adverbial	你早上六点起床还是七点起床？	我早上六点起床。 我早上七点起床。

问宾语时，"还是"后边可以重复一遍动词，也可以省略动词。例如：

When the question is raised on the object, the verb after 还是 is optional, e.g.,

你吃饺子还是吃包子？　√

你吃饺子还是　包子？　√

"是"作谓语时,"还是"后边不能重复谓语动词"是"。例如:

When 还是 occurs before the second verb 是, only one 是 remains, e.g.,

你是法国人还是　加拿大人？　√
你是法国人还是是加拿大人？　×

2 正反疑问句　The Affirmative-Negative Question

这种疑问句并列谓语的肯定形式与否定形式来表示疑问。提问的人对答案事先没有倾向性,要求回答的人选择肯定形式或否定形式作为回答。例如:

The affirmative-negative questions are formed by juxtaposing the affirmative and negative forms of the main element of the predicate. The person who ask such questions is not inclined to a certain answer. The answer may either be an affirmative or negative one, e.g.,

	Question	**Answer**
	你是不是法国人？	我　是法国人。 我不是法国人。
V.+不(没)+V.	你吃不吃饺子？	我　吃饺子。 我不吃饺子。
	你有没有地图？	我　有一张地图。 我没有地图。
Adj.+不+Adj.	汉语难不难？	汉语很难。 汉语不难。

动词"有"的正反问形式是"有没有"。例如:

The affirmative-negative pattern of the predicate 有 is 有没有, e.g.,

你有没有地图？　√
你有不有地图？　×

形容词谓语句的正反问形式,谓语前边一般不能带表示程度的副词状语。例如:

The affirmative-negative pattern of a sentence with adjective predicate: S + adj. + 不 + adj.? (In this type of questions, no adverb of degree can be put before the adjective predicate.) E.g.,

汉语　难不难？　　✓
汉语很难不难？　　✗

名词谓语句的正反问形式是在名词谓语前加"是不是"，变成"是"字句。例如：

The affirmative-negative pattern of a sentence with noun predicate: S+是不是+ noun, e.g.,

今天是不是星期三？　　✓
今天星期三不星期三？　　✗

动词后带宾语时，宾语一般有两种位置：

When the verb takes an object, the object can generally be put in either of the two positions.

	V.		不(没) V.	O.
你	吃		不吃	饺子？
	V.	O.	不(没) V.	
你	吃	饺子	不吃？	

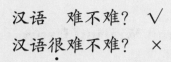 **Learn Chinese Characters**

偏旁（9）　Radicals (9)

偏旁 Radical	名称 Name	例字 Example	说明 Explanation
饣	shízìpáng	饭 饺	related to "food"
氵	sāndiǎnshuǐ	没 汉 酒 河 river	related to "water"

读写练习　**Reading and Writing Exercises**

Practise the following characters.

练习本课汉字

坐　喝　茶　还　咖　啡　吃　面　包　欢
迎　位　饭　饺　条　咱　吧　啤　酒

1. 找一找，哪些字 A 组有，B 组没有？ 哪些字 B 组有，A 组没有？
   Find out which character in Column A is missing in Column B and vice versa.

	A					B			
欢	条	坐	吧	包	位	迎	饺	还	饭
吃	饭	位	酒	还	咱	包	坐	啤	吃
饺	咱	面	茶	喝	条	欢	茶	吧	面

2. 描写下边的汉字。
   Trace the following characters.

3. 把汉字和含有该字的词的拼音用线连起来。
   Join the character and the corresponding *pinyin* of the word that contains the character with a line.

喝	mǐfàn
还	miànbāo
咖	huānyíng
条	hē chá
包	jiǎozi
欢	píjiǔ
饺	háishi
咱	miàntiáor
啤	kāfēi
饭	zánmen

4. 下边每对汉字有一个相同的部件，找出来，写在方框里。

The characters in each pair share one component. Find it out and write it down in the box.

☐ 饺 校	☐ 吧 把	☐ 坐 在
☐ 条 茶	☐ 咖 架	☐ 条 客

5. 列举跟下列汉字偏旁相同的字。

List some other characters sharing the same radicals with the characters below.

饭_____ 酒_____

喝_____ 还_____

位_____

6. 把 A 组和 B 组发音相同的汉字用线连起来。

Find out the characters with the same pronunciation in Columns A and B, then join them with a line.

A　地　典　后　刻　名　男　友

B　有　弟　点　候　课　明　南

7. 给下边的汉字注音。

Transcribe the following characters with *pinyin*.

（1）坐（　　）— 座（　　）

（2）反（ fǎn ）— 饭（　　）

（3）非（ fēi ）— 啡（　　）

（4）加（ jiā ）— 架（　　）　咖（　　）

（5）交（ jiāo ）— 饺（　　）　校（　　）

（6）巴（ bā ）— 爸（　　）　把（　　）　吧（　　）

8. 朗读下列句子。

Read aloud the following sentences.

（1）请进！请坐！请喝茶！

（2）欢迎！请问几位？

（3）你喝茶还是咖啡？

（4）我不吃面包。

（5）您喝不喝啤酒？

（6）你们这儿有没有饺子？

（7）咱们吃米饭还是面条？

（8）两个包子，谢谢！

综合练习　**Comprehensive Exercises**

1. 看图完成会话　Look at the pictures and complete the dialogues.

a.

（1）A：＿＿＿＿＿＿＿＿＿＿？（还是）

　　B：我吃＿＿＿＿＿＿。

b.

（2）A：＿＿＿＿＿＿＿＿＿？（Ｘ不/没Ｘ）

　　B：不喝。我喝＿＿＿＿＿。

c.

（3）A：＿＿＿＿＿＿＿＿？（还是）

　　B：我是＿＿＿＿人。

d.

（4）A：请问，这儿＿＿＿＿＿？（Ｘ不/没Ｘ）

　　B：有。

e.

（5）A：＿＿＿＿＿＿＿＿？（还是）

　　B：我＿＿＿＿点起床。

f.

（6）A：今天＿＿＿＿＿＿＿？（Ｘ不/没Ｘ）

　　B：不，今天星期＿＿＿＿。

2. 听后回答问题　Listen and answer the questions.

问题：Questions:

（1）山本和马丁喝什么？

（2）他们吃什么？

（3）谁喝啤酒？

（4）谁吃米饭？

3. 根据所给材料会话　Make up a dialogue based on the given information.

Situation：在饭馆儿，看菜单（càidān menu），点菜

Key words：欢迎　几位　请坐　吃　喝　吧　行

　　　　　　……还是……？

　　　　　　X 不 / 没 X？

菜名 càimíng name of dish	主食 zhǔshí staple food	汤 tāng soup	酒水 jiǔshuǐ drinks
牛肉 niúròu beef	米饭	鸡蛋汤 jīdàntāng egg soup	啤酒
猪肉 zhūròu pork	面条	酸辣汤 suānlàtāng sour and spicy soup	白酒 báijiǔ Chinese liquor
鸡肉 jīròu chicken meat	饺子		可乐 kělè Cola
蔬菜 shūcài vegetable	包子		茶

（一）

2.5 元/斤

3 元/斤

Píngguǒ liǎng kuài wǔ yì jīn, xiāngjiāo sān kuài yì jīn. Wǒ yào yì jīn píngguǒ、liǎng

苹果　两　块五一斤,香蕉　三　块　一斤。我要一斤苹果、两

jīn xiāngjiāo. Yígòng bā kuài wǔ.

斤　香蕉。一共　八　块　五。

生词　New Words

①	苹果	（名）	píngguǒ	apple
②	块/元	（量）	kuài/yuán	(unit of currency in China)
	毛/角	（量）	máo/jiǎo	(unit of currency in China)
	分	（量）	fēn	(unit of currency in China)
③	斤	（量）	jīn	(unit of weight, equal to 1/2 kilogram)
④	香蕉	（名）	xiāngjiāo	banana
⑤	要	（动）	yào	to want
⑥	一共	（副）	yígòng	altogether

(二)

安妮 Píngguǒ duōshao qián yì jīn?
苹果 多少 钱 一 斤？

tānfàn
摊贩 Nín yào zhè zhǒng háishi nà zhǒng?
seller 您 要 这 种 还是 那 种？

安妮 Zhè zhǒng duōshao qián?
这 种 多少 钱？

摊贩 Sān kuài.
三 块。

安妮 Nà zhǒng ne?
那 种 呢？

摊贩 Wǔ kuài.
五 块。

安妮 Tài guì le, piányi yìdiǎnr ba. Sì kuài yì jīn, zěnmeyàng?
太 贵 了，便宜 一点儿 吧。四 块 一 斤，怎么样？

摊贩 Sì kuài wǔ ba.
四 块 五 吧。

安妮 Xíng. Wǒ yào liǎng jīn.
行。我 要 两 斤。

摊贩 Hái yào bié de ma?
还 要 别 的 吗？

安妮 Hái yào yì jīn xiāngjiāo. Yígòng duōshao qián?
还 要 一 斤 香蕉。一共 多少 钱？

摊贩 Xiāngjiāo sān kuài yì jīn. Yígòng shí'èr kuài.
香蕉 三 块 一 斤。一共 十二 块。

安妮 Gěi nǐ qián.
给 你 钱。

摊贩 Zhè shì shíwǔ kuài, zhǎo nín sān kuài.
这是 十五 块，找 您 三 块。

生词 New Words

⑦	钱	（名）	qián	money
⑧	种	（量）	zhǒng	(a measure word) kind
⑨	太……了		tài……le	too, very
⑩	贵	（形）	guì	expensive
⑪	便宜	（形）	piányi	inexpensive, cheap
⑫	怎么样	（代）	zěnmeyàng	how about, what about
⑬	还	（副）	hái	in addition
⑭	别的		bié de	other
⑮	给	（动）	gěi	to give
⑯	找	（动）	zhǎo	to give change

学说话 Learn to Speak

块、毛、分

5 元/斤

Ask
多少钱?

苹果　五块一斤。
___　　___
S.　　P.　(NP)

Can also say　苹果一斤五块。

👁 + 👄 看图说话 Look and say according to the pictures.

……多少钱……?

22 元

68 元

3.2 元

7.4 元

2.6 元

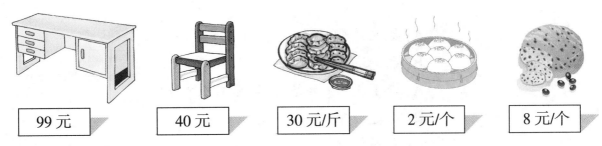

| 99 元 | 40 元 | 30 元/斤 | 2 元/个 | 8 元/个 |

语言点注释　Notes on Language Points

1　钱的读法　Ways of Reading Money

0.03 元	0.46 元	1.30 元	1.39 元
三分	四毛六	一块三	一块三毛九
0.02 元	0.22 元	2.20 元	2.22 元
两分	两毛二	两块二	两块两毛二
1.03 元	2.05 元	10.3 元	10.03 元
一块零三(分)	两块零五(分)	十块零三毛	十块零三分

2　用"呢"的省略问句　Elliptical Question with 呢

用"呢"的省略问句有两种用法：

There are two main functions of elliptical question with 呢.

在没有上下文的情况下,问的是处所。例如：

Without a certain context, the speaker is asking for the location, e.g.,

> 我的书呢?（＝我的书在哪儿?）
> 大卫呢?（＝大卫在哪儿?）

有上下文时,语义要根据上下文判定。例如：

When there is a certain context, the meaning of the sentence depends largely on the context, e.g.,

（1）A：大卫是哪国人？
　　B：他是法国人。
　　A：马丁呢？（＝马丁是哪国人？）
　　B：他是加拿大人。
（2）A：你喝什么？
　　B：我喝茶。你呢？（＝你喝什么？）
　　A：我喝咖啡。

学汉字　Learn Chinese Characters

偏旁（10）　Radicals（10）

偏旁 Radical	名称 Name	例字 Example	说明 Explanation
钅	jīnzìpáng	钱　银 silver	related to "metal"
纟	jiǎosīpáng	给 红 red　绿 green	related to "silk"
艹	cǎozìtóu	茶 苹 蕉	related to "grass"

读写练习 Reading and Writing Exercises

Practise the following characters.

练习本课汉字

苹	果	块	毛	元	斤	香	蕉	要	共
钱	种	太	了	贵	便	宜	怎	样	别
给	找								

1. 找一找,哪些字 A 组有,B 组没有? 哪些字 B 组有,A 组没有?
   Find out which character in Column A is missing in Column B and vice versa.

<table>
<tr><td colspan="5" align="center">A</td><td colspan="5" align="center">B</td></tr>
<tr><td>斤</td><td>宜</td><td>找</td><td>果</td><td>便</td><td>块</td><td>别</td><td>怎</td><td>要</td><td>蕉</td></tr>
<tr><td>要</td><td>怎</td><td>香</td><td>别</td><td>块</td><td>贵</td><td>斤</td><td>种</td><td>果</td><td>共</td></tr>
<tr><td>样</td><td>怎</td><td>给</td><td>种</td><td>共</td><td>找</td><td>宜</td><td>给</td><td>钱</td><td>样</td></tr>
</table>

2. 描写下边的汉字。
   Trace the following characters.

3. 把汉字和含有该字的词的拼音用线连起来。
   Join the character and the corresponding *pinyin* of the word that contains the character with a line.

苹	bié de
蕉	yígòng
宜	piányi
怎	píngguǒ
别	zhè zhǒng
共	xiāngjiāo
种	zěnmeyàng

4. 下边每对汉字有一个相同的部件，找出来，写在方框里。

The characters in each pair share one component. Find it out and write it down in the box.

| □ | 块 快 | □ | 蕉 谁 | □ | 种 和 |
| □ | 怎 您 | □ | 宜 姐 | □ | 样 差 |

5. 列举跟下列汉字偏旁相同的字。

List some other characters sharing the same radicals with the characters below.

钱_____ 别_____

苹_____ 块_____

样_____

6. 把 A 组和 B 组发音相同的汉字用线连起来。

Find out the characters with the same pronunciation in Columns A and B, then join them with a line.

A 贵 斤 块 钱 礼 客 五

B 刻 柜 午 里 今 快 前

7. 给下边的汉字注音。

Transcribe the following characters with *pinyin*.

（1）平（ píng ）— 苹（　　）

（2）中（　　）— 种（　　）

（3）羊（　　）— 样（　　）

8. 朗读下列句子。

Read aloud the following sentences.

（1）苹果多少钱一斤？

（2）我要两斤香蕉。

（3）这种苹果四块一斤。

（4）太贵了，便宜一点儿吧。

（5）那种香蕉七块钱三斤，怎么样？

（6）您还要别的吗？

（7）给你钱。

（8）一共十六块，找您四块。

综合练习　Comprehensive Exercises

1. 看人民币说出钱数　Look at the currency of RMB and read out the sums.

2. 记下听到的钱数　Write down the sums of money you hear.

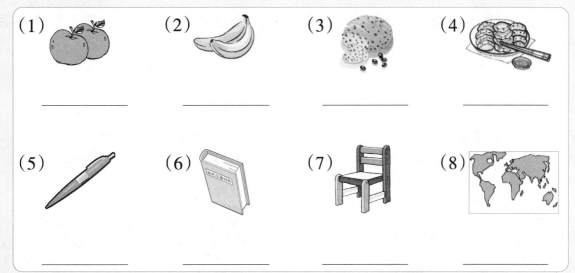

(1) _____

(2) _____

(3) _____

(4) _____

(5) _____

(6) _____

(7) _____

(8) _____

3. 根据上边听到的物品和价格，完成下边的对话　Complete the dialogues according to what you hear in Exercise 2.

(1)A:_____多少钱_____?

　　B:_____。你要几_____?

　　A:我要_____。一共多少钱?

　　B:_____。

　　A:给你钱。

　　B:这是_____, 找您_____。

(2)A:_____多少钱_____?

　　B:_____。

　　A:太____了。_____一点儿吧, _____怎么样?

　　B:_____吧。

A：行。我要＿＿＿＿＿＿＿＿＿。

B：＿＿＿＿＿＿＿＿＿＿？

A：不要别的。谢谢！

4. 小组活动：购物　Group activities: go shopping

　　要求：2–3 人一组。每组自由选择一个场景购物。自己分配角色，为商品确定价格，然后用练习 3 的结构对话。

　　Rules: form groups of 2 or 3 persons. Choose one setting from below and assign the roles. Fix the price of your goods and have a dialogue following the patterns in Exercise 3.

场景（1）：在市场
Setting 1: in the supermarket

xīguā
西瓜

pútao
葡萄

场景（2）：在小卖部
Setting 2: in a small shop

shìjiè world
世界地图

中国地图

场景（3）：在食堂
Setting 3: in the canteen

niúnǎi (hé)　　(bēi)　　(píng)　　kělè (tīng)
牛奶（盒）　　（杯）　　（瓶）　　可乐（听）

11

我去银行换钱
I'll go to the bank to change some money

课文 Texts

(一)

加文　Mǎdīng, hǎojiǔ bú jiàn!
马丁,好久不见!

马丁　Jiāwén, shì nǐ! Nǐ hǎo ma?
加文,是你! 你好吗?

加文　Hěn hǎo, Xièxie! Nǐ zěnmeyàng? Xuéxí máng bù máng?
很好,谢谢! 你怎么样? 学习 忙不忙?

马丁　Bù máng.
不忙。

加文　Nǐ bàba、māma shēntǐ hǎo ma?
你爸爸、妈妈 身体 好吗?

马丁　Tāmen dōu hěn hǎo. Nǐ qù nǎr?
他们 都 很 好。你去哪儿?

加文　Wǒ huí sùshè. Nǐ ne?
我 回 宿舍。你呢?

马丁　Wǒ qù yínháng huàn qián. Nǐ hái zhù qī hào lóu ma?
我 去 银行 换 钱。你还住 7 号 楼吗?

加文　Bù, xiànzài wǒ zhù shí'èr hào lóu, sān líng yāo fángjiān.
不,现在 我 住 12 号 楼,301 房间。

马丁　Nǐ de diànhuà hàomǎ shì duōshao?
你的 电话 号码 是 多少?

加文　Bā èr sān líng liù yāo wǔ sì. Yǒu kòngr lái wǒ sùshè wánr.
82306154。 有 空儿 来 我 宿舍 玩儿。

马丁　Hǎo. Zàijiàn!
好。再见!

加文　Zàijiàn!
再见!

生词 New Words

①	好久不见		hǎojiǔ bú jiàn	haven't see you for a long time
	好久	(形)	hǎojiǔ	(of time) quite long
	久	(形)	jiǔ	(of time) long
	见	(动)	jiàn	to see
②	忙	(形)	máng	busy
③	身体	(名)	shēntǐ	body, health
④	去	(动)	qù	to go
⑤	回	(动)	huí	to return
⑥	换	(动)	huàn	to change
⑦	还	(副)	hái	still
⑧	住	(动)	zhù	to live, to dwell
⑨	电话	(名)	diànhuà	telephone, call
⑩	号码	(名)	hàomǎ	number
⑪	空儿	(名)	kòngr	free time
⑫	来	(动)	lái	to come
⑬	玩儿	(动)	wánr	to play, to amuse oneself
⑭	再见	(动)	zàijiàn	goodbye

(二)

Mǎdīng jīntiān yǒu kòngr. Tā shàngwǔ qù yínháng huàn qián,

马丁 今天 有 空儿。他 上午 去 银行 换 钱,

huàn èrbǎi měiyuán de rénmínbì, xiàwǔ qù chāoshì mǎi diǎnr dōngxi.

换 二百 美元 的 人民币,下午 去 超市 买 点儿 东西。

生词 New Words

⑮	百	(数)	bǎi	hundred
	千	(数)	qiān	thousand
	万	(数)	wàn	ten thousand
⑯	美元	(名)	měiyuán	U.S. dollar
	欧元	(名)	ōuyuán	Euro
	日元	(名)	rìyuán	Japanese yen

⑰	人民币	（名）	rénmínbì	Renminbi
	人民	（名）	rénmín	people
	币	（名）	bì	currency, money
⑱	超市	（名）	chāoshì	supermarket
⑲	买	（动）	mǎi	to buy
⑳	东西	（名）	dōngxi	thing

学说话 **Learn to Speak**

> 1. 来/去 + 做什么
> 2. 百、千、万

① 来/去 + 做什么

目的 purpose

我去银行换钱。

> We can also say 我去换钱.

☞ 替换练习 Substitution drills.

大卫去银行换钱。

V₁		V₂	
	超市	买	东西
去	书店	买	书
	学校	上	课
回	宿舍	睡觉	
	我宿舍	玩儿	
来	我家	吃	饺子
	北京	学习	汉语

2 百、千、万

一百元人民币

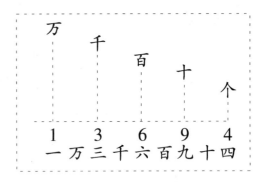

万	千	百	十	个
1	3	6	9	4
一万	三千	六百	九十	四

👄 读下边的数字   Read the following numbers.

115   208   9001   67000   7938   50480   12050   41952

语言点注释   Notes on Language Points

1 连动句（1）   The Sentence with Verbal Structure in Series (1)

谓语由两个或两个以上动词构成,两个动词短语共用一个主语,这样的句子叫连动句。本课学习的连动句,后一个动作表示前一个动作的目的。例如:

A sentence in which two or more verbs or verbal phrases are used as the predicate of the same subject is called the sentence with verbal structure in series. In the sentences we learnt in this unit, the second verb indicates the purpose of the first, e.g.,

S.	V₁	(O₁)	V₂	(O₂)
我	去	（银行）	换	钱。
妈妈	去	（超市）	买	东西。
他	回	宿舍	睡觉。	
你	来		玩儿	吧。

2 称数法（2）：百以上   Counting Numbers above 100

100	200	110	101	111
一百	二/两百	一百一	一百零一	一百一十一

1000	2000	1200	1010	1001
一千	两千	一千二	一千零一十	一千零一

10000	20000	12000	10010	10101
一万	两万	一万二	一万零一十	一万一百零一

学汉字 Learn Chinese Characters

偏旁（11） Radicals (11)

偏旁 Radical	名称 Name	例字 Example	说明 Explanation
忄	shùxīnpáng	快 忙	related to "thinking, feeling"
走	zǒuzìdǐ	起 超 exceed	related to "running"
穴	xuézìtóu	空 empty space 窗 window	related to "cave"

读写练习　**Reading and Writing Exercises**

Practise the following characters.

练习本课汉字

久	见	忙	身	体	去	回	换	住	电
话	码	空	来	玩	再	百	千	万	民
币	超	市	买						

1. 找一找，哪些字 A 组有，B 组没有？哪些字 B 组有，A 组没有？

   Find out which character in Column A is missing in Column B and vice versa.

		A						B		
换	忙	见	玩	再		玩	来	体	电	久
电	久	体	话	市		忙	住	身	再	市
码	来	买	超	住		空	见	超	话	码

2. 描写下边的汉字。

   Trace the following characters.

3. 把汉字和含有该字的词的拼音用线连起来。

   Join the character and the corresponding *pinyin* of the word that contains the character with a line.

换	shēntǐ
民	chāoshì
超	diànhuà
见	hàomǎ
忙	rénmínbì
身	hěn máng
电	zàijiàn
码	huàn qián

4. 下边每对汉字有一个相同的部件，找出来，写在方框里。
The characters in each pair share one component. Find it out and write it down in the box.

☐ 空 左   ☐ 超 照   ☐ 再 在

☐ 话 舍   ☐ 码 妈

5. 列举跟下列汉字偏旁相同的字。
List some other characters sharing the same radicals with the characters below.

忙＿＿＿＿＿　　超＿＿＿＿＿

话＿＿＿＿＿　　玩＿＿＿＿＿

回＿＿＿＿＿

6. 把 A 组和 B 组发音相同的汉字用线连起来。
Find out the characters with the same pronunciation in Columns A and B, then join them with a line.

A   电 久 市 再 住 码

B   在 祝 马 店 是 酒

7. 给下边的汉字注音。
Transcribe the following characters with *pinyin*.

(1) 主（ zhǔ ）— 住（　　　　）

(2) 亡（ wáng ）— 忙（　　　　）

(3) 召（ zhào ）— 照（　　　）　　超（　　　）

(4) 马（　　　）— 码（　　　）　　妈（　　　）　　吗（　　　）

8. 读一读这几对汉字。
Read the following pairs of characters.

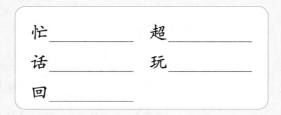

毛—笔　元—玩
本—体　见—现
果—课　十—什

9. 朗读下列句子。

Read aloud the following sentences.

（1）我下午去银行换钱。　　（5）妈妈去超市买点儿东西。

（2）我换二百美元的人民币。　　（6）你住几号楼？多少号房间？

（3）我回宿舍。你去哪儿？　　（7）你的电话号码是多少？

（4）好久不见！你身体好吗？　　（8）有空儿来我家玩儿。

综合练习　Comprehensive Exercises

1. 记下听到的数字　Write down the numbers you hear.

（1）　　　　（2）　　　　（3）　　　　（4）

（5）　　　　（6）　　　　（7）　　　　（8）

2. 模仿下边的对话，两人会话　Make dialogues following the example.

Topic：换钱

A：您好！我换钱。

B：您换什么钱？

A：我换人民币。

B：换多少？

A：二百美元。

日元　欧元

3. 听后完成练习　Listen and complete the exercises.

（1）听山本的介绍，为山本的名片（míngpiàn business card）填上住址（zhùzhǐ address）、电话和 email。

Listen to the introduction of Yamamoto, and fill in the address, telephone number and email for his business card.

北京语言大学

山本健夫

住址：

电话：

email：

（2）为你自己设计一张名片。

Design a business card for yourself.

4. 看图说话　Look and say according to the picture.

Key words：好久不见　怎么样　学习　身体
　　　　　去哪儿　住　楼　房间
　　　　　电话号码　有空儿　再见

5. 全班活动：建班级通讯录　Class activity: Compile an address book of the whole class.

要求：包括全班老师、同学的名字、住址、电话、email 和生日。

It should contain the names of all the students and teachers, their addresses, phone numbers, emails and birthdays.

用上下边的结构：

Using the following structures:

你住几号楼？多少号房间？你的电话号码是多少？

＿＿＿班通讯录（tōngxùnlù）Address Book of Class＿＿＿				
名字	住址 address	电话	email	生日

课文 Text

（一）

Dàwèi měi tiān qí zìxíngchē lái jiàoshì. Ānní méiyǒu zìxíngchē, tā zǒu lù lái

大卫 每 天 骑 自行车 来 教室。安妮 没有 自行车,她 走 路 来

jiàoshì. Shānběn zhù xuéxiào wàibian, tā zuò chūzūchē lái xuéxiào. Xiǎomíng jiā zài Běijīng,

教室。山本 住 学校 外边,他 坐 出租车 来 学校。小明 家 在 北京,

tā měi ge zhōumò zuò gōnggòng qìchē huí jiā.

他 每 个 周末 坐 公共 汽车 回 家。

生词 New Words

①	每	（代）	měi	every
②	骑	（动）	qí	to ride
③	自行车	（名）	zìxíngchē	bicycle
④	教室	（名）	jiàoshì	classroom
⑤	走路		zǒu lù	to walk, to go on foot
	走	（动）	zǒu	to walk, to go on foot
	路	（名）	lù	road
⑥	坐	（动）	zuò	to travel by
⑦	出租车	（名）	chūzūchē	taxi
	出租	（动）	chūzū	rent
	车	（名）	chē	automobile
⑧	周末	（名）	zhōumò	weekend
⑨	公共汽车		gōnggòng qìchē	bus
	公共	（形）	gōnggòng	public, common
	汽车	（名）	qìchē	car, automobile

（二）

（在教室里 in classroom）

安妮 Míngtiān shì zhōumò. Zánmen qù Yíhé Yuán wánr, hǎo ma?
明天 是 周末。咱们 去 颐和园 玩儿,好 吗?

大卫 Tài hǎo le! Zánmen zěnme qù?
太 好 了! 咱们 怎么 去?

安妮 Zuò gōnggòng qìchē tài jǐ le. Dǎ dī qù ba.
坐 公共 汽车 太 挤 了。打 的 去 吧。

大卫 Dǎ dī tài guì le. Qí chē qù, zěnmeyàng?
打 的 太 贵 了。骑 车 去,怎么 样?

安妮 Wǒ méiyǒu zìxíngchē. Nǐ yǒu ma?
我 没 有 自行车。你 有 吗?

大卫 Wǒ yǒu yí liàng. Lín Yuè yě yǒu, tā měi tiān qí chē lái shàng kè.
我 有 一 辆。林月 也 有,她 每 天 骑 车 来 上 课。

安妮 Hǎo. Wǒ qù jiè yí liàng.
好。我 去 借 一 辆。

大卫 Míngtiān jǐ diǎn chūfā?
明天 几点 出发?

安妮 Shàngwǔ jiǔ diǎn, xíng ma?
上午 九点,行 吗?

大卫 Méi wèntí.
没 问题。

安妮 Wǒ qù nǐ sùshè zhǎo nǐ. Míngtiān jiàn!
我 去 你 宿舍 找 你。明天 见!

大卫 Míngtiān jiàn!
明天 见!

生词 New Words

⑩	怎么	(代)	zěnme	how
⑪	挤	(形)	jǐ	crowded
⑫	打的		dǎ dī	to take a taxi
⑬	辆	(量)	liàng	(a measure word for vehicle)
⑭	借	(动)	jiè	to borrow, to lend
⑮	出发	(动)	chūfā	to start off
⑯	没问题		méi wèntí	no problem
	问题	(名)	wèntí	problem, question
⑰	找	(动)	zhǎo	to look for, to see

学说话　Learn to Speak

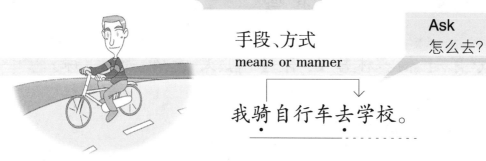

怎么 + 来 / 去

手段、方式
means or manner

Ask
怎么去?

我骑自行车去学校。

替换练习　Substitution drills.

大卫骑自行车去学校。

V₁	V₂	
走路	来	书店
		银行
		超市
骑自行车		教室
	去	学校
		颐和园
坐公共汽车		家
		宿舍
打的	回	房间

语言点注释　Notes on Language Points

连动句（2）　The Sentence with Verbal Structure in Series (2)

本课学习的连动句,前一个动作表示后一动作的手段、方式。例如:

The sentence with verbal structure in series learnt in this lesson has two verbal structure with the first indicating the means or manner of the second, e.g.,

S.	V₁	(O₁)	V₂	(O₂)
我	骑	自行车	去	(学校)。
大卫	走	(路)	回	宿舍。

连动句小结:Summary:

（1）连动句中的谓语动词可以带宾语,也可以不带宾语。例如:

The predicate verbs of a sentence with verbal structure in series can go with or without objects, e.g.,

我坐公共汽车回学校。	（都带宾语 both verbs take objects）
我去 买点儿东西。	（前一动词不带宾语 the first verb goes without object）
他打的去。	（后一动词不带宾语 the second verb goes without object）
有空儿来 玩儿。	（都不带宾语 both verbs do not take object）

（2）否定式中,否定词一般在第一个谓语动词前。例如:

The negative form is generally made by placing the negative 不 or 没有 before the first predicate verb, e.g.,

我不去银行换钱。	√	我们不打的去。	√
我去银行不换钱。	×	我们打的不去。	×

（3）两个谓语动词的前后次序不能改变。例如:

The order of the two predicate verbs cannot be changed, e.g.,

我 去银行 换钱。	√	我 走路 回宿舍。	√
我 换钱 去银行。	×	我 回宿舍 走路。	×

学汉字　**Learn Chinese Characters**

1. 义同形不同的部件　Components of the Same Meaning with the Different Forms

- 人：们
- 水：汉
- 心：快
- 食：饭
- 刀：刻

- 言：语
- 手：把
- 金：银
- 示：祝
- 火：照

- 女：她
- 土：地
- 牛：物
- 木：校
- 月：有
- 竹：笔

- 王：班
- 车：辆
- 足：路
- 又：对
- 木：条
- 羊：差

2. 偏旁（12）　Radicals (12)

偏旁 Radical	名称 Name	例字 Example	说明 Explanation
扌	tíshǒupáng	打　换　找	related to "hand"
⻊	zúzìpáng	路	related to "foot"

读写练习　Reading and Writing Exercises

Practise the following characters.

练习本课汉字

每	骑	自	车	教	室	走	路	出	租
汽	周	末	公	挤	打	辆	借	发	题

1. 找一找，哪些字 A 组有，B 组没有？哪些字 B 组有，A 组没有？
   Find out which character in Column A is missing in Column B and vice versa.

<table>
<tr><td colspan="5" align="center">A</td><td colspan="5" align="center">B</td></tr>
<tr><td>租</td><td>挤</td><td>自</td><td>骑</td><td>末</td><td>末</td><td>路</td><td>借</td><td>周</td><td>汽</td></tr>
<tr><td>周</td><td>路</td><td>发</td><td>借</td><td>公</td><td>自</td><td>室</td><td>教</td><td>租</td><td>公</td></tr>
<tr><td>汽</td><td>出</td><td>辆</td><td>题</td><td>室</td><td>每</td><td>骑</td><td>题</td><td>辆</td><td>出</td></tr>
</table>

2. 描写下边的汉字。
   Trace the following characters.

3. 把汉字和含有该字的词的拼音用线连起来。
   Join the character and the corresponding *pinyin* of the word that contains the character with a line.

自	wèntí
室	qìchē
路	zhōumò
租	zǒu lù
汽	zìxíngchē
周	chūzū
公	gōnggòng
打	dǎ dī
发	jiàoshì
题	chūfā

4. 下边每对汉字有一个相同的部件，找出来，写在方框里。

The characters in each pair share one component. Find it out and write it down in the box.

	骑　椅		路　客		租　姐
	发　友		教　老		租　和

5. 列举跟下列汉字偏旁相同的字。

List some other characters sharing the same radicals with the characters below.

打＿＿＿＿　　汽＿＿＿＿

借＿＿＿＿　　室＿＿＿＿

6. 把 A 组和 B 组发音相同的汉字用线连起来。

Find out the characters with the same pronunciation in Columns A and B, then join them with a line.

A　公　挤　教　每　室　自

B　叫　字　工　市　几　美

7. 给下边的汉字注音。

Transcribe the following characters with *pinyin*.

（1）气（　　）—汽（　　）　　（3）齐（ qí ）—挤（　　）

（2）两（　　）—辆（　　）　　（4）奇（ qí ）—骑（　　）椅（　　）

8. 读一读下边的几对汉字，注意每对汉字的写法有什么不同。

Read the following pairs of characters. And observe how different they are in their forms.

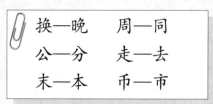

换—晚　　周—同
公—分　　走—去
末—本　　币—市

9. 朗读下列句子。

Read aloud the following sentences.

（1）我弟弟每天走路去教室。

（2）山本住学校外边，他坐出租汽车来学校。

（3）你坐车还是骑车回家？

（4）打的太贵了，咱们骑自行车去，怎么样？

（5）周末我们班同学骑自行车去颐和园玩儿。

（6）我去借一本汉语词典。

（7）我们明天早上九点出发。

（8）我去你宿舍找你。

综合练习　Comprehensive Exercises

1. 听后连线，然后复述　Listen and join the picture in the left column and the phrase in the right with a line. Then retell the information you've just heard.

去超市

去颐和园

来学校

回宿舍

2. 小组活动：调查交通方式　Group activities: a survey on the means of transportation.

（1）询问小组成员的交通方式：

Ask your group members how they get to school.

A

E.g., 你每天怎么来教室（学校）？

我每天骑自行车来教室（学校）。

（2）记下每个成员的交通方式：

Write down their answers.

B

名字 Names	怎么去 How to get there
大卫	骑自行车

（3）用下边的结构报告调查结果：

Use the following structures to report the result of your survey.

C

大卫每天骑自行车来教室。

3. 情景会话　Situational dialogue

周末你和朋友想去长城或者故宫玩儿，两人商量怎么去。

Your friend and you plan to go to the Great Wall or the Palace Museum at the weekend. Discuss how you will get there.

Key words：好吗？怎么样？怎么？　　吧　太……了　没问题　明天见

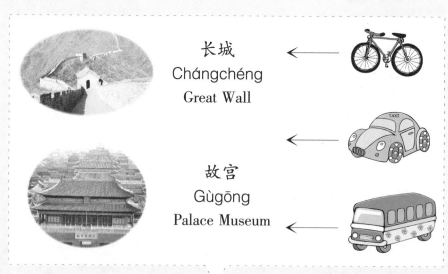

长城
Chángchéng
Great Wall

故宫
Gùgōng
Palace Museum

| 房间 | （名） | fángjiān | 8 |
| 分 | （量） | fēn | 6,10 |

G

高兴	（形）	gāoxìng	5
哥哥	（名）	gēge	3
个	（量）	gè	2
给	（动）	gěi	10
工作	（名、动）	gōngzuò	3
公共	（形）	gōnggòng	12
公共汽车		gōnggòng qìchē	12
柜子	（名）	guìzi	8
贵	（形）	guì	10
国	（名）	guó	4

H

还	（副）	hái	10,11
还是	（连）	háishi	9
汉语	（名）	Hànyǔ	4
好	（形）	hǎo	1
好久	（形）	hǎojiǔ	11
好久不见		hǎojiǔ bú jiàn	11
号	（量）	hào	7
号码	（名）	hàomǎ	11
号/日	（名）	hào/rì	5
喝	（动）	hē	9
和	（连）	hé	3
很	（副）	hěn	5
后	（名）	hòu	7
后边	（名）	hòubian	7
欢迎	（动）	huānyíng	9
换	（动）	huàn	11
回	（动）	huí	11

J

几	（数）	jǐ	3
挤	（形）	jǐ	12
加拿大	（名）	Jiānádà	1
家	（名）	jiā	3
见	（动）	jiàn	11
角	（量）	jiǎo	10
饺子	（名）	jiǎozi	9
叫	（动）	jiào	1
教室	（名）	jiàoshì	12
姐姐	（名）	jiějie	3
借	（动）	jiè	12
斤	（量）	jīn	10
今天	（名）	jīntiān	5
进	（动）	jìn	4
九月	（名）	jiǔyuè	5
久	（形）	jiǔ	11
酒	（名）	jiǔ	9

K

咖啡	（名）	kāfēi	9
刻	（量）	kè	6
客气	（形）	kèqi	7
课	（名）	kè	6
空儿	（名）	kòngr	11
口	（量）	kǒu	3
块/元	（量）	kuài/yuán	10
快乐	（形）	kuàilè	5

L

来	（动）	lái	11
老师	（名）	lǎoshī	1
礼物	（名）	lǐwù	5

R

人	(名)	rén	1
人民	(名)	rénmín	11
人民币	(名)	rénmínbì	11
日	(名)	rì	5
日本	(名)	Rìběn	1
日元	(名)	rìyuán	11

S

三月	(名)	sānyuè	5
上	(动)	shàng	6
	(名)	shàng	8
上边	(名)	shàngbian	8
上课		shàng kè	6
上午	(名)	shàngwǔ	6
身体	(名)	shēntǐ	11
什么	(代)	shénme	3
生日	(名)	shēngrì	5
十月	(名)	shíyuè	5
十二月	(名)	shí'èryuè	5
十一月	(名)	shíyīyuè	5
时候	(名)	shíhou	6
是	(动)	shì	1
书	(名)	shū	2
书店	(名)	shūdiàn	7
书架	(名)	shūjià	8
谁	(代)	shéi/shuí	3
睡	(动)	shuì	6
睡觉		shuì jiào	6
四月	(名)	sìyuè	5
送	(动)	sòng	5
宿舍	(名)	sùshè	7

T

他	(代)	tā	1
他们	(代)	tāmen	1
她	(代)	tā	1
她们	(代)	tāmen	1
太……了		tài……le	10
天	(名、量)	tiān	5
同学	(名)	tóngxué	4

W

外	(名)	wài	8
外边	(名)	wàibian	8
外国	(名)	wàiguó	4
玩儿	(动)	wánr	11
晚上	(名)	wǎnshang	6
万	(数)	wàn	11
位	(量)	wèi	9
问	(动)	wèn	6
问题	(名)	wèntí	12
我	(代)	wǒ	1
我们	(代)	wǒmen	1
五月	(名)	wǔyuè	5

X

西	(名)	xī	7
西边	(名)	xībian	7
下	(动)	xià	6
	(名)	xià	8
下边	(名)	xiàbian	8
下课		xià kè	6
下午	(名)	xiàwǔ	6
现在	(名)	xiànzài	6
香蕉	(名)	xiāngjiāo	10

谢谢	(动)	xièxie	5
星期	(名)	xīngqī	5
星期二	(名)	xīngqī'èr	5
星期六	(名)	xīngqīliù	5
星期日	(名)	xīngqīrì	5
星期三	(名)	xīngqīsān	5
星期四	(名)	xīngqīsì	5
星期天	(名)	xīngqītiān	5
星期五	(名)	xīngqīwǔ	5
星期一	(名)	xīngqīyī	5
行	(动)	xíng	9
学	(动)	xué	4
学生	(名)	xuésheng	1
学习	(动)	xuéxí	4
学校	(名)	xuéxiào	7

Y

要	(动)	yào	10
也	(副)	yě	1
一月	(名)	yīyuè	5
一共	(副)	yígòng	10
(一)点儿	(数量)	(yì) diǎnr	9
椅子	(名)	yǐzi	8
银行	(名)	yínháng	7
英语	(名)	Yīngyǔ	4
用	(动)	yòng	6
有	(动)	yǒu	2
右	(名)	yòu	8
右边	(名)	yòubian	8
语		yǔ	4
月	(名)	yuè	5

Z

再见	(动)	zàijiàn	11
在	(动)	zài	7
咱们	(代)	zánmen	9
早上	(名)	zǎoshang	6
怎么	(代)	zěnme	12
怎么样	(代)	zěnmeyàng	10
张	(量)	zhāng	2
找	(动)	zhǎo	10,12
照片	(名)	zhàopiàn	3
这	(代)	zhè	2
这儿	(代)	zhèr	9
支	(量)	zhī	2
中国	(名)	Zhōngguó	1
中午	(名)	zhōngwǔ	6
种	(量)	zhǒng	10
周末	(名)	zhōumò	12
住	(动)	zhù	11
祝	(动)	zhù	5
桌子	(名)	zhuōzi	8
自行车	(名)	zìxíngchē	12
走	(动)	zǒu	12
走路		zǒu lù	12
昨天	(名)	zuótiān	5
左	(名)	zuǒ	8
左边	(名)	zuǒbian	8
坐	(动)	zuò	9,12
座	(量)	zuò	7
做	(动)	zuò	3

汉字索引
Index of Chinese Characters

T		
他	tā	1
她	tā	1
太	tài	10
题	tí	12
体	tǐ	11
条	tiáo	9
同	tóng	4
图	tú	2
W		
外	wài	4
玩	wán	11
晚	wǎn	6
万	wàn	11
位	wèi	9
问	wèn	6
我	wǒ	1
午	wǔ	6
物	wù	5
X		
西	xī	7
习	xí	4
现	xiàn	6

香	xiāng	10
校	xiào	7
谢	xiè	5
星	xīng	5
兴	xìng	5
学	xué	1
Y		
样	yàng	10
要	yào	10
也	yě	1
宜	yí	10
椅	yǐ	8
银	yín	7
英	yīng	4
迎	yíng	9
用	yòng	6
友	yǒu	4
有	yǒu	2
右	yòu	8
语	yǔ	4
元	yuán	10
Z		
再	zài	11

在	zài	6
咱	zán	9
早	zǎo	6
怎	zěn	10
张	zhāng	2
找	zhǎo	10
照	zhào	3
这	zhè	2
支	zhī	2
种	zhǒng	10
周	zhōu	12
住	zhù	11
祝	zhù	5
桌	zhuō	8
自	zì	12
字	zì	4
走	zǒu	12
租	zū	12
昨	zuó	5
左	zuǒ	8
作	zuò	3
坐	zuò	9,12
座	zuò	7
做	zuò	3

汉语语法参考
Reference to Chinese Grammar

句子的基本成分
Basic Elements of the Sentence

zhǔyǔ wèiyǔ
1. 主语和谓语 Subject（S.）and Predicate（P.）

汉语里一般的句子都由主语和谓语两部分组成。主语在前边,谓语在后边。

Most Chinese sentences are composed of two parts: the subject precedes the predicate.

主语（S.）	谓语（P.）
我	叫大卫。
这	不是山本的书。
你们班	有多少学生?
你	好!
今天	星期五。

bīnyǔ
2. 宾语 Object（O.）

宾语是动词后的连带成分,它表示动作行为涉及的事物。

The object is a sentence element following the predicate verb, describing the person or thing that is affected by the action of the verb.

S.	P.	
	动词（V.）	宾语（O.）
我们	学习	汉语。
房间里	有	一张桌子。
大卫	送	我一本词典。
我	喜欢	打太极拳。

dìngyǔ zhuàngyǔ

3.　定语和状语　Attributive and Adverbial

定语和状语都是修饰中心语的。一般说来,名词性中心语前边的修饰语是定语;而动词性、形容词性中心语前边的修饰语是状语。

The attributive and adverbial are both modifiers of the headwords. The attributives are used to modify nouns and pronouns. The adverbials are used to modify verbs and adjectives.

S.		P.		宾语(O.)	
（定语）Attributive	中心语 Headword	[状语] Adverbial	中心语 Headword	（定语）Attributive	中心语 Headword
	这	也	是	我的	书。
大卫的	姐姐	不	是	汉语	老师。
我	弟弟		有	三个	本子。
丁	老师	很	忙。		

定语和“的”　Attributive and the structural particle 的

代词、名词作定语表示领属关系时,后面常常用“的”。

When possessive nouns or pronouns are used as attributives, they are usually followed by 的.

Pr.	的	N.
我	的	照片
你们	的	词典

N.	的	N.
大卫	的	书
妈妈	的	朋友

代词所修饰的中心语指亲友或所属单位时,“的”可以用,也可以不用。

When the headwords indicate kinship or they are used before nouns referring to work units, 的 is optional.

Pr.	（的）	Relative
他	（的）	爸爸
你	（的）	朋友
我们	（的）	老师

Pr.	（的）	Unit
我	（的）	家
他们	（的）	公司

名词作定语,表示人或事物的性质时;数量短语作定语,表示限制关系时,不用"的"。

的 is not used when numeral-quantifier phrases are used before nouns or when nouns are used as attributives denoting the quality of a person or thing.

N.	N.
丁	老师
加拿大	人
中国	地图
汉语	书

Nu.+M.W.	N.
一本	书
两张	地图
三个	本子
四口	人

单音节形容词作定语,不用"的";双音节形容词作定语,一般要用"的"。

When monosyllabic adjectives are used as attributives, 的 is not used; while 的 is generally used when disyllabic adjectives are used as attributives.

A	N.
好	朋友
新	书

AA	的	N.
漂亮	的	衣服
流利	的	汉语

bǔyǔ

4. 补语　Complement（C.）

补语是谓语动词或形容词后面的补充说明成分。

A word or phrase attached to a verb or an adjective predicate to supplement the meaning is called a complement.

S.	P.	
	V. / Adj.	补语（C.）
他	跑得	很快。
我	写得	不好。

主谓句的类型
Types of Subject-Predicate Sentences

　　汉语中的单句分为主谓句和非主谓句。主谓句是由主谓短语构成的。而非主谓句则指由主谓短语以外的词或短语构成的。如：

　　Simple sentences in Chinese are divided into subject-predicate sentences and non-subject-predicate sentences with the former containing a subject-predicate phrase and the later composed of phrases other than the subject-predicate phrase, e.g.,

　　（1）下雨了！

　　（2）走吧。

　　主谓句比较复杂,可分为以下四类：

　　Subject-predicate sentences are very complex. They can be divided into following four types:

1. 动词谓语句　Sentences with Verbal Predicates

S.	P.		
		V.	
我		叫	大卫。
这	不	是	我的书。
你爸爸		做	什么工作?
我们	都	学习	汉语。
银行		在	书店东边。
墙上		有	一张地图。

2. 形容词谓语句　Sentences with Adjectival Predicates

S.	P.		
			Adj.
你			好!
我		很	高兴。
汉语		不	难。

3. 名词谓语句　Sentences with Nominal Predicates

S.	P.
	N.
今天	五月九号星期二。
现在	八点半。
马丁	25 岁。

4. 主谓谓语句　Sentences with a Subject-Predicate Phrase as the Predicate

S₁	P₁	
	S₂	P₂
我爸爸、妈妈	身体	很好。
我	头	疼。
我	学习	不忙。
大卫	个子	很高。
这件衣服	颜色	很好看。

六种提问方法
Six Types of Questions

1. 用"吗"的问句　Questions with 吗

你是中国人吗？
你忙吗？
你去银行吗？

2. 用疑问代词的问句　Questions with Interrogative Pronouns

他是谁？
你去哪儿？
咱们怎么去？

3. 正反疑问句　Affirmative-Negative Questions

你喝不喝啤酒？

你有没有自行车？

苹果贵不贵？

4. 用"还是"的选择问句　Alternative Questions with 还是

你吃米饭还是饺子？

我们上午去还是下午去？

5. 用"呢"的省略式问句　Elliptical Questions with 呢

我的书呢？

我去超市买东西，你呢？

6. 用"好吗""行吗"的问句　Tag Questions with 好吗 and 行吗

周末我们去颐和园，好吗？

我们九点出发，行吗？

致教师

　　《起步篇》供掌握了汉语拼音的零起点学习者使用。全书共分两册，7 个单元，28 课。第一册 3 个单元，第二册 4 个单元，每单元 4 课。共学习词语 600 个左右，汉字 470 多个。

　　《起步篇》的体例如下：

　　1. 课文。每课包括 2~3 段课文，每段课文后有对应的生词。几段课文围绕着一个话题展开，内容上前后有联系；语言点分散在几段课文中，而后一段课文又在话题、生词、语言点上对前一段课文有所复现，适合循序渐进地学习。生词列在每段课文后，以在课文中出现的先后为序。

　　2. 学说话。利用图解加例句的方式直观展示每课的重点语言点，并有相关的语言点练习。

　　3. 语言点注释。与"学说话"部分相配合，用简洁的语句加图表的方式对每课的语言点进行文字说明。在"学说话"部分没有出现相关图解的是次重点语言点。

　　本书语言点确定的原则是汉语的重要句型、句式，主要体现汉语的句法规则。涉及词的用法的问题不是本书学习的重点，因此一般不列在语言点项目中；课堂教学中可在生词环节处理，不作专门的语法操练。

　　本书对语言点进行注释遵循的是归纳、小结的原则，这符合第二语言教学的特点。例如，用"呢"的省略问句，本书第 8 课出现其没有上下文的省略问用法，第 10 课出现其有上下文的省略问用法。在第 10 课的语言点注释中对"呢"的两种省略问用法进行了归纳、小结。课堂教学中，在第 8 课学习"呢"时，可在生词环节作生词处理，到第 10 课学习时，再在语法环节对它进行系统操练。

　　本书中双宾语句的处理也遵循同样的原则。从第二单元开始，学生会陆续学到一些可带双宾语的动词，教材在第五单元第 20 课的语言点注释中对这一类特殊动词的特点进行了归纳、小结。

　　4. 语音注释。本书共三课有语音注释：第 1、2、16 课。第 1 课介绍"不"的变调，第 2 课介绍"一"的变调，第 16 课介绍"啊"的变调。

5. 学汉字。 继《入门篇》教授了汉字的笔顺、笔画知识之后，本书在"学汉字"部分介绍汉字结构、部件的基础知识，以帮助学生树立汉字的结构、部件概念。

6. 读写练习。练习每课学习的生字。练习按照先认读、后书写的思路编排。每个读写练习的"练习本课汉字"部分列出了每课所学习的生字，以生字在生词表中出现的先后为序。

7. 综合练习。包括听的练习、读的练习以及话题表达几种练习形式。 围绕每课的情境话题，从听、说、读、写各个侧面对学习者进行综合练习，以帮助学习者巩固、复习每课所学的生词、语言点，并达到熟练运用的目的。

本书每课需 4 个学时，1~2 学时学习新课，3~4 学时利用"读写练习"和"综合练习"的内容进行复习、练习。

本书每个单元前有单元目录，列出了每个单元所包括的课号、题目、话题、重点句型和语言点。书前还有人物介绍，列出了课文中出现的主要人物。人名下都标有拼音（注意：人名不在生词表中出现）。书后附有汉语语法参考，总结了汉语句子的基本成分和六种提问方法。在实际课堂教学中，教师可根据具体情况酌情处理这部分所介绍的语法术语。

本书配有每课听力练习题的听力文本和练习活页。练习活页供学生课后使用，包括每课的语言点练习以及 7 套单元复习题。

随书附赠课文、生词和听力练习的录音，方便学习者使用。还配有多媒体教学课件，生动、直观地展现了每课的教学内容，并适当补充了一些词在用法方面的内容。

希望本书能陪伴您愉快地教学！

编者：杨楠

2008 年 6 月